こちら葛飾区亀有公園前派出所㉕

秋

こちら葛飾区亀有公園前派出所㉕

目次

警察ガルタの巻
本日定休日
明けまして
おめでとう
ございます
78' 山止

ちゃんと
戸じまりは
したし…
さあ
いこうか!
本当に
派出所
しめちゃって
いいんですか!?
取り締まり月間

元旦くらい
休んだって
いいじゃないか
日本人は
はたらき
すぎる
からな!

さあ
出発だっ
GO!
あとで
バレたって
しらない
よ!

ウォオオオオ

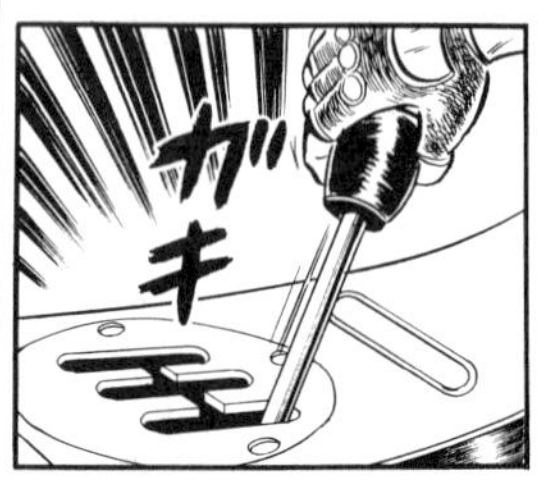
ガキエ

世の中
正月気分で
天下泰平
だな!
COFFEE
ウチダパン

中川は
部長の
家いくの
初めてか?
はい!
まだ
一度も…

千葉の市川でしたね…たしか！
そういちおう"いっこだて"だけどね…一般的な庶民の住宅よ…

マイホーム主義の典型でな…庭があって車もあってまあまあの生活しとるようん！
全部国民の税金だ！

まるで悪徳代議士みたいないい方じゃないですか
ちゃーんとはたらいた金ですよわれわれは！
そらまーそうだな社会の役にたっとるからな

しかし去年についで今年も正月勤務なんてついてねえよ

正月くらいはのんびりと……！
くだもの屋
くだもの

中川ちょっとストップ!!
えっ!?
ガ

キキキキ
ガン

何すんですか⁉ 交差点で!!
今の所に水菓子屋があったんだ！

手ぶらで部長の家にいかれんだろう…
もう〱正月そうそうこれだもんなァ

NIHONBASHI
日本橋
SHIN-Y
新口
50
高速車
一級河川
江戸川
建設省
新葛飾橋

千葉県
馬橋
松戸
松戸市
千葉にはいりましたどういくんです…？
中山競馬場のうらだ！

土手で子どもたちがタコあげをしてますよのどかですねえ……
東京にくらべてこっちはいなかだからなァ

みてみろあそこで一揆がおこってるぞ！
そんな古くはありませんよ!!

しかし
部長 よろこぶ
だろうな…
かわいい部下が
したって
年始まわりに
いくんだ
からな…
そうだ
娘の
ひろみさんにも
手みやげを
もっていって
やろう！

ダ
ヘイ
ストップ
!!

キキキキキキ
バキ
カーン
カーン
カーン

ちょっと
そこで
まってろ！
プアーン
カン
カン
ぎゃあ

ん……
どうか
したのか
中川!?
部長の
家まで
たどりつく
自信が
なくなったよ
ゴオー

どうだ
いい色だろ
これ
ひろみさんの
手みやげ！
ネグリジェ
じゃ
ないですか
!!

変態ですよっ
正月の年始に
そんなもの
もっていったら
！
そうかな…
実用的で
いいと
思うんだ
が…

まあいい
それなら
タクアンの
つめあわせで
がまんするか…
バタッ
そのほうが
まだ
ましですよ
まったく…

大王
ブロロロ…
ガタ
ガタ

すごい
いなか道
だけど……
この道で
いいんですか？
わしの
いうことを
信じなさい！

あ　そこを
左！
アクセルを
めいっぱい
ふんでね！
はい

それ
ーっ

ぎゃあーっ
注意

ぎゃはっ
ははは
今の顔
今の顔！

自分で
運転して
ください！
ぼくは
電車で
いきます
あっ
ごめん
ごめん

今度
うそついたら
トランクに
はいって
もらいます
からねっ
わかったよ
ジョークの
通じない
男だな
おまえは…

ブロロロロロ…

ほら
みえた！
あそこに
あるのが
部長の
家だ！
えっ!?

あれが
部長の
家……

車が
あるって
荷車の事
だったのか
………

ふだんは明るいけど人しれず苦労しているんだなあ…
ウァー

中川!そっちじゃないこっちだ!こっち!

あっここですか…!?
何ぐずぐずしてるんだまったく!

どうりでへんだと思ったよ
でも半分信じたな

りっぱな家じゃないですか……
わしの家よりおちるがなどう? ネクタイゆがんでいない?

うんネクタイはいいけど…顔のほうがゆがんで…
ほっとけこれはうまれつきだ!

1978年
1月
1
母さんが里帰りしてひろみとふたりっきりの元旦もいいものだ…
まあ! それをいいことにあまりお酒のまないでね

のどかだな…じつに……こうして庭の梅の木でもながめつつ酒を……

どうかしたの? パパ……
うむ目が少しつかれたらしい…

のみすぎのせいよ! おせち料理にしたらどう?!
そうするかな……

うむ！うまい ひろみも 味つけが うまくなった じゃないか
ピンポーン
あら？だれか みえた わ……

正月って ……
ほんとにっ い・い・も・ん ですねっ！

あらー 両さん じゃ ない!!

おめでとう 遠い所 わざわざ きてもらって すみませんね

いやあ 中川がぜひ 一度いきたい というもの だから……
ちょうど いいわ パパもひとりで お酒のんでいた ところなの……

パパ 両さんたちが みえたわよ！
やく日だ 正月 そうそう 縁起が 悪い……
部長 あけまして おめでとう ございます
おめでとう ございます！

これ……つまらんものですので部長にあうんじゃないかと…
12月11日は
仙人のたんじょう日
ケーキとワインで祝った。
あら！そんなに気を遣ってもらわなくてもいいのに！
いや！気じゃなくて金を使ったんですよ！木を使うのは大工さんははははは
ちょっとまってね 今 おカンするわ！
ひろみ これから年始まわりで忙しいらしい 無理にひきとめても悪い……
いえ 今日は ここ一軒だけです

1978年
せっかく 年始にでてきたんだ！5・6軒 回ってきたらどうだ！署長の家へいくとか……いろいろあるだろ！
とんでもない！きょうは部長の家を中心に来たんですよ

それじゃゆっくりしていらしてね!
そりゃあもう夕方までゆっくりとなあ中川!
す すごくうまそうですねっ! 正月はいつもこんな豪華なんで?
ま…まあな
こ このキントンなんかたべたらさぞおいしいでしょうね
それにこのカズノコ! これが最高にうまいんだなあ!
両さんよかったらつまんでちょうだい
そ そうですか!
なんかさいそくしたようではは!
こりゃうまいじつにうまい!
部長もよかったらえんりょなくつまんでいいですよ

いつも寮でひとりですものね…… お正月なんかどうしてるの?
いちおうモチくいますよ! ラーメンの中にぶちこんで!
自作の特製ぞうにですわ!
さあお酒もどうぞ!
自分はどちらかというとウイスキーのほうがお口にあうんで…

ごめんなさい
それじゃ
用意するわ
すいま
せんね!
オールドより
ローヤルの
ほうが体に
あっている
ようでして!
中川
どうした
えんりょせず
くえ!
こういう
機会に
栄養つけて
おかんと
いかんぞ!
はは
はあ…
いっぱいあって
目うつり
してるのか?
ばかだな!
こういう時は
高い物から
たべてくんだ
カズノコとか
キントンとか
ムシャ
ムシャ
ガツ
………
………
ずいぶん
食欲が
あるのね
はい!
おぞうに!
こりゃ
どうも!
えんりょ
なく!
あら
ウイスキー
を…!?
カフェ・ド・
ワイヤル・
インゾウニ
といいまして
オツで
うまいん
ですよ
ふう—い
くった
くった
ひと月分の
栄養を
つけたな
これで
今年は
ウマい年
だ!
なーん
ちゃって
がははは
あら…
パパのはし
ずいぶん
きれいね…
あたり
まえだっ
何ひとつ
手を
つけて
おらん!

おまえたち
あまり遅く
ならんうちに
帰ったほうが
いいんじゃ
ないのか！
まだ外は
あんなに
明るいじゃ
ないですか

このあたりは
いなかだから
暗くなると
クマやライオン
がでたり
するぞ！
本当！
ちょうどいい
一度
ライオン狩りを
やって
みたかった
ドギャーンと
！

中川　車に
散弾銃
つんできた
か!?
わしは
奥で休んで
いるから
おまえ　あと
たのむよ…

部長
せっかく
きたんだから
カルタでも
やりましょうよ
なに
カルタ
!?

そんじょ
そこらにある
カルタとちがう
特別製で！

へへへ
さて…
こんなもんで
いいかな

おもしろ
そうね
やって
みましょう

両さん わたしが よむわ！
すいや せんね それじゃ…

(し)らぬが ホトケの 殺人現場
なによ！ これ…？

自家製でして ゆうべ中川と いっしょに 作ったやつで！
こんなこと だろうと 思った…

(な)く子も だまる 機動隊
はいっ！

(い)つかは モノに！ 部長の娘
あら…!?

バカ！ あのやつは ぬいとけと いったろ！
しり ませんよ ぼくは！

つまらん ジョークですよ！ ははは
……… そうか

本当に… つまらん ジョークだ
カチャ…

げっ!!

じょうだんにもほどがあるぞっ!!
わおっ 殿中でござるっ!!

ぼくがよみますからね!おちついて!

㋷っぱでたのもしい大原部長
わざとらしい行為だ…

㋪事があるけば事件発生
はい!
バタ
なんださっきから両津ばかりとってるじゃないか!
わたしもまだ一枚よ!

しかたがありませんよ自分で作ったんだから!
字がきたなくてよみづらい自分につごうよく作ってあるぞ
わかったよ公平にすりゃいいんだろ!

ガラ
まったく自分たちがとれないもんだからくそ!

公平にしてるんですよ!バラバラにね!
家中にバラまくつもりか?おまえ…

両津!絵ふだを全部もってどこいく気だ…!?

こうやって全員でさがしゃ文句ないでしょ!

風呂場までふだをまくのか!?
全部に公平にね!

よし! これでいい じゃ 中川 おまえ ここで よみあげるんだ!
ふだを さがしたら もってきて 中川に確認してもらう
ようし おもしろい 始めよう!
ちょっと その前に ひとつ!
そもそも あなた方は 勝負という ものに対して 真剣味が たりない!
だから さっきみたいに 負けると ケチつけるんです

何か かけましょう! そうすりゃ ふだも 真剣に さがすから
いいだろ 何をかけるんだ?

一番多く ふだをとった 人のいうことを なんでも きくってのは どうです?
よし! わかった やってやるぞ!

ロンより チョンボの ヘボ マージャン
それっ 開始!

あった!
あったぞ
みつけ!
なんと
早いな!
あいつ…
先輩は
物をかけると
人間が
かわるんですよ

せまい日本
そんなに
いそげば
早くつく

せか……
これは
ちがう
ないわ
ねえ…
?

まだ
みつからん
両津はどこ
さがしてんだ?
さっき
ひろみさんの
部屋へ
いきましたよ

なに!!
ひろみの
部屋に
だと!!

何やって
いるっ
両津っ!!

いや…
ふだを
さがしにね…
始めから
ここには
ふだなんて
おかなかったぞ

そ そう
だったかな
ど忘れ
しちゃって…
まったく
油断も
スキも
ないやつだ!

先輩が20枚
部長が19枚
さあ　いよいよ
のこり2枚です
うぬ!
両津に
負けて
たまるか!
おぼえたぞ
トイレが㋒で
ベランダが㋣だ

㋒そから
でた……
ダッ
トイレだ!
あったぞ!
ダダダ

ぎゃあーーっ
ドカ
勝負の
世界は
きびしいんだろ!
ヌッ
これで
同数です
最後の1枚で
きまります
からね
逆転
してやる
からな!
くく……
くそ!
㋣し……
!!
カッ

★週刊少年ジャンプ1978年3・4合併号

ど迫力幹事の巻
幹事
目の丸商店(株)
慰安旅行会
時刻表
山上食品
徳用
たこ
せんべい
町内旅行
ンドブック
旧日本地図帳
ビール

少年係
掲示板
保安係
警ら係
防犯係

警ら係

えっ!?

両津に今度の旅行の幹事をやらせるだと!?

そうなんだ毎年順番でやっていて今度は両さんの番なんだ

あの男自分ではやらないくせに幹事には酒が少ないだのオミヤゲをつけろなどとうるさいんだ今度はいい機会だ
しかしあのいいかげんな男にそんな大役はつとまらん気がするがな…
防火用

なあ もう一度よく検討したほうがいいのじゃないかな……
日があまりないんだ じゃあたのんだよ大原くん
ガチャ
けん銃事故防止

バタン
どうなってもわしはしらんぞ…

押ボタン式

本官が旅行の幹事を!?

わしも信じたくないが事実 そういうことになったんだ まあしっかりやってくれ!

そ そうですか! 今年は本官が幹事ね!
よーし希望にこたえるべくひとはだぬいでやるかな!

部長 資金をください 500万円くらい…いや1千万円あれば…
ばかもの! どこにそんな金があるんだ!

毎月 旅行の
つみ立てを
しとるだろう!
その予算内で
やりくりを
するんだ
ほう
なるほど
これっぽっち
しか
ないのか!
旅行つみ立て
52年度

どこへ
いきましょうか!?
ねえ 部長
自分で
考えろ
自分で!

先輩
今年は
思いきって
ハワイに
いきましょう
いや
山形の
温泉なども
のんびりして
いいぞ
夏の
長崎なんか
最高じゃ
ないかな

そうか そうか
まあ
キミたちの
いうことも
考慮して
あげようかな

えーと
ここから
こういって
ああして
こうして…
ここから
飛行機で
ここまで
とんで……

部長!
ん!?

おおかたの
予定が
できましたので
ひと目
ごらんに!
うむ
そうか!
みて
やろう

まず 列車で山形の温泉へいきましてですねついでに北海道にまわりましてオシャマンベのおばあちゃんと個人的にあって…
その足で九州は 長崎へ…長崎チャンポンをたべつつ 福岡へむかうわけでしてここでは 本官のおじさんとあいましてね!
福岡から飛行機にのりハワイ経由で東京へともどるわけでして………
なにかご質問は…?
今度の旅行は一泊二日だぞ充分 理解しとるか?
少しょうハードスケジュールですがなんとか…

予算ひとり2万5千円でいけるのか!?
そこが問題なんですけどね……最悪の場合は帰国のさい東京上空から本署めがけてひとりずつとびおりて…
スカイダイビングしに 旅行へいくんじゃないんだぞ!

おまけに おまえの親類にあうために署員までつれていくな!旅行を 私物化するんじゃない!
も…もう一度よく検討してみましょう

始めからあの調子じゃどこへつれていかれるかわかったものじゃない!

部長！今度こそバッチリですよ！
本当か…？

ぐっと近い所で〝ふるさと葛飾たべあるき〟ってのにしたんですが…
うむ今度はまともらしいな！どれ……

まず全員であるいて水戸街道をくだり水元へとむかいます
なるほど健康のためにあるくのはいいことだな！

日光浴をしつつ水産試験場を見物して江戸川の土手づたいに柴又まであるきます
ほうずいぶんとあるくんだな

そこで東洋一の金町浄水場でお昼にアンパンをたべて午後は帝釈天を参詣あるいて署にもどって解散！
なんとすべてあるきか!?
ずいぶんと安あがりにしたもんだな予算あまるだろ!?
えーと旅行費用は昼めしのアンパン代50円のみ！
パチ パチ

のこりの2万4千950円についていろいろと考えたのですがね………
旅行会で一番つらい思いをしはたらいた幹事さんに功労賞として寄付すると！
そうすりゃ予算もムダがないってわけで……

すると人数は50人だから…えーと
2があがって…45と……

おっ すごい! 124万7千… みんな おれの物だあっ!
よし! 来年もぜひ幹事を……
…………
…………
…………

て…寺井み…水を…もってきてくれ……
部長しっかりしてください!
おくすり
三日分

部長はやはり旅行をひかえたほうが…
えっ
ガタ

部長! 旅行へいかないんですか!?
まだわからん!

そんな〜部長! みんなでたのしくいきましょうよね! みんなで!!
おお… 両津… 上司をそこまで心配するとは……

ひとり2万4千950円ですからね ひとりでもへると寄付金に大きくひびくもので……

しばらく両津をわしの目のふれん所においといてくれ……
火気注意
少し横になっていれば　楽になりますよ
ポルノ
月刊エロチック
部長も神経が休まるヒマないなあ
ぼくたちも旅行へいくんだからよく話しあったほうがいい
それもそうだな！

両津！あるき旅行もいいがもう一度よく検討しようぜ
たとえば…海なんかいいんじゃないですか？魚もおいしいし民宿などにとまったりして…。
消火器
そうか…よし！海にきめた
カンタンにきめるなあ…
まず…全予算の半分を酒代にしてのこりでおつまみやビールをかって…と
おい両津よ！

全部のみ代にしちまったら電車賃や宿代はどうするんだ!?
う〜〜〜むそうだな…全員自転車でいくとか方法が…
パトカーや機動隊の車かりられんかなさもなければ本庁から投光車や放水車など…人さえのれれば……な
ムリですよ放水車なんかで…!

そうだ公務中ということにして全員電車にただのりしたらどうだ?
50人もズラズラ改札をとおるのか?

だいいち警察官ということはふせていく旅行ですからね!
そいつぁ大変だ!警官の特権が使えんわけか!

めんどうだから現地集合現地解散にしちまおう!
そんなむちゃくちゃな!

こうあつくっちゃいいアイデアもさっぱりでんよ!
ガタ

クーラーのきいたさてんでアイデアをねってくる8時間ほどでもどるからな
あっ先輩!

勤務をほっぽらかしていっちゃうんだからなあ
今年はえらい旅行になりそうだな……

旅行当日

中川本当にここでまっていていいんだろうな!?
はあ朝10時に署の裏口ということで……
お出かけは前にひと声を
ガヤ
ガヤ
ガヤ
ガヤ
99
HAWAII

あのバカいき先もいわないからみんなまちまちな服だな!
ガヤ
ガヤ
ABCDE

あっきた!
なに!
ズルルル!!

やあ
みなさん
おあつまりの
ようですね!
ブロロロロロ…
親方商店
1号車
な
なにごとだ
こりゃあ
ガヤ
ガヤ

まさか
こいつにのって
いくつもりじゃ
ないだろう
な!?
いやあ
予算の
つごうが
つかなくてね
苦労
しました!

そのかわり
酒はのみ放題
1号車は
日本酒が
つんであります
2号車は
ビールで
3号車は
ウイスキー

部長
われわれは
1号車に
しましょう
どうぞ!
おっ
ビールが
山ほど
つんである
ぞ!
こいつぁ
すごい!

こんな姿
娘にゃ
みせられん
よ!

おい
運ちゃん
たのむよ
あいよ
ドドドドドッ

ブルルルル

部長!
オープンカーで
いくのも
なかなか
オツでしょ
まるで
ヤクザの
でいりじゃ
ないか!

ところで両津どこへいくんだ?
海ですよ千葉の白浜!
まあ いっぱい いきましょう 部長
どうも昼からのむ気はせんな…
今日は 休み 無礼講ですよ! グッとあけて!
まあ せっかくの旅行だからな!
ドクドク
ガガガ
ああっ
あっ どうも! 車が 急にカーブしたもので!
あーあ びっしょりになっちゃった!
こら! もっと安全運転せんか!
わかった……
ま まあいい 今日は無礼講だ ははは…
おわびに もう いっぱい!
日本酒

ガン
信号まちだよ両さん！
いやぁ部長！無礼講ですな！はははは……
わらってごまかすなこいつ！
ド
うわっ!!
ドド

ガシャーン
このバカ2号車までとびこんでくるな!
だれが好きこのんでくるか!バカッ!
なに!?こいつ~~~

まったく先輩はおちつきがないなあ
ガヤガヤ
また頭がいたくなってきた!

どうも安心できん運転をみてやる!
ブルルルル
かってにしてくれ!

運転者走る時はちゃんと合図せんか!
どうやってやるんだいったい!?

ほう
トラックの
運転席には
いろいろ
くっついてる
な
ガチャ
やたらに
いじらんで
くださいよ!
なんだ
このスイッチ
は…?
あっ!
それは…
ブロロロロ
まったく
くるんじゃ
なかったよ!
ガタッ
うわっ
!
なん
だ!?
うわあ
ーーっ
たすけて
くれーっ
うわーっ
ザザザザザ

まったく まともに 走れんのか!? 1号車の連中は………
おれ 1号車に のらなくて よかったよ!
ブォオオオ
だいぶ すきました ねえ 部長!
ビール
あれじゃ あたり まえだ!
海の家
ブロロロ…

いやあ
どうやら
たどりついた
なあ……
やはり
いいですね
海は！

部長
新鮮な
魚料理を
どうぞ！
おおっ
こいつは
すごい
おいしそう
だ！
さあ
みんなも
たべて
たべて！

こりゃあ
おいしい！
いい旅行
だなあ
海にきての
サシミは
最高だな！
車は
ひどかったが
酒はのみ放題
だしな！
ははは
おい！
メシ
おかわり

いやあ
ハラいっぱいだ
天気もいいし
みんなも
たのしんどる
もっと のんで
くださいよ
ジャンジャン
あるから

部長 どうぞ
トウモロコシ
中川たちにも
やるぞ！
こりゃ
サービス
がいいな
！
アイス
うきぶ

部長！
先輩の幹事
なかなか
やりますね
トラックには
おどろいたが
料理は
うまかったな！

両津
日も暮れて
きた
そろそろ
旅館に
いこう
えっ…
旅館!?

旅館じゃ
ないのか？
すると
ホテルに
とまるのか？
まさか！
もう予算は
のこって
ないですよ

会費はすべて
のみくいに
つぎこみました
からね！
あまりは
さっきの
トウモロコシで
すべてパー！
どうする
気だ!?

心配ない
ちゃんと
準備して
あります

この砂浜で
ねるんですよ
ちゃんと 署から
毛布をかりて
ありますから
ね！
さっ
それじゃ
みなさん
ねようか？
99

★週刊少年ジャンプ1977年37号

ニコニコ両さんの巻

中川
なんだ？いったい……？
さあ
町会の人たちみたいですが…

どうかよろしくおねがいします
わかりました協力しましょう

戸塚 中川
ちょっときてくれ

え!?
8ミリ映画を作るんですか？ぼくたちをモデルに？
夏休みにお巡りさんの活動と題して町会で子どもたちに上映するらしい

これでとろうともってきたのですが使いかたがどうも…
わしもわからんな…
それならわかりますよこのレバーを上にあげてから……
あ 巡査さんごぞんじですか！

そしてこのダイヤルをあわせてですね……
なるほどえーとこのレバーを……えーと

なんならぼくが写しますよ全部とったあとでそちらで適当に編集してくださいよ
そうですか！それじゃ夕方とりにきますからおねがいします！

大変なことになったなどうやって写すんだ？
自然でいいんだありのままふだんの勤務を写せばな

ジ

うむ！ごほん
ジ
そそれでは勤務につくかな……

まず昨日までの書類に目をとおしてから……
あっ
ガタ

部長そんなにかたくならないでくださいよ
そ…そうか少しかたくなってるかな…？

両津先輩ならてれるなんてありえないと思うんだけどくるのがおそいなあ
あいつをだしたら警察の良識をうたがわれる

いやあおくれてすまんすまん

駅前のパチンコ屋今日 開店で出勤とちゅうによってきたのだがいやあ じつによくでたぞ!
みろ!この景品を!2台も打ち止めにしてなあはっはははは
これ戸塚にめぐんでやるぞ

このチョコは中川にめぐんでやるはははは

このポテトチップは部長にめぐんで…ん☆
パサ

あっ 部長!もうきていたの!?
じゃあおまけにインスタントコーヒーもサービス!

朝っぱらから 何がパチンコだ!!
まともに出勤できんのかっ

ばばか! こんな所はとらなくていいんだ!
でも真実を写したほうがいいと…

なんだ あのカメラは? 何するんだ
われわれを撮影して子どもたちにみせるらしいぜ
パチンコ

部長 やはり計画的にとったほうがいいんじゃありませんか?
うむ そうだな そうするか……

地理案内や法令違反取り締り交通整理あとパトロール巡回連絡などにわけましょう
それじゃさっそく外にでて撮影しよう

部長! それではわたくしが主演いたしましょう
ん!?
前に一度テレビ出演したことがありますし…ここはぜひ!
かってにしろ!

ちょうど子どもたちがいるから学童交通整理している所を写しましょう
そいじゃさっそくガキどもの指導をひとつ!

お前ら映画にだしてやるからたのしそうにやるんだぞ
ほらちゃんと手をつないで!
ギュッ

ん!?
なんだ?カエルを!
ゲコ

うわあこら!やめろ!
何をする気だ!
ゲコ
ピョン
ピョン

はい先輩写しますよにっこりとわらって…
ちょっとまて!まだとるんじゃない!
ゲコ
ゲコ
ゲコ
ゲコ
ゲコ
ゲコ

くそ!よくまあこんなものあつめやがって!
ケロケロ
ゲコゲコ

先輩いいですかいきますよ!
てめえらあとでおぼえていろよ!

タンタンタヌキの金時計〜〜〜みんなでたのしくわたりましょ
♪ ♪ ♪
いいですよ!はい!たのしそうにして〜!

いいですじゃもう一度いきましょう
いいか!あとで勝負をつけるからな

はいどうぞ
イロハのイの字はどうかくのみんなでたのしくわたりましょ
ブブ

おいちょっとどいてくれよ!
くそ!撮影中に!

うるせえ
なあ
しずかに
しろ！
信号は
赤だ！
じゃま
だぞ！

今 撮影中だ
おとなしく
そこで
まっていろ！
じょうだん
じゃねえよ
今日中に
藤沢まで
いくんだ！

撮影中だと
いってるのが
わからんのか！
人が下手にでりゃ
ちょうしに
のりやがって！
グググ
うわーーーっ
たすけてくれ
お巡りさーん

何が
お巡りさーんだ
お巡りさんは
目の前に
こうして
いるだろ
えっ!?
中川！
ここまで
写さんで
いい
カットしろ
えっ!?
サッ

ブオオオオオー！
少しは
協力したら
どうだ
じゃま
しやがって！

さあ
みなちゃん
つづきを
やりましょ
うね！
はい！
おててを
ちゅない
で！

それじゃ次は公園でパトロール中に子どもたちとたのしくあそぶシーンをとりましょう
なんだ何しやがるわしにはむかうつもりか!?

うわっいててっ!!
ゴキッ

もうかんべんならん……
グイ
はい先輩いきますよー!

そういいですよそのまま……
両さんは子どもたちの人気者ヨイヨイ
ピタ

はい終わりました!
さっきはよくもやりやがったなてめえ

じゃつづけていきましょう
なんてかわいい子どもたちなのだろう
なんて臨機応変な男だ! まったく
ピタ

だいぶとれたなそれじゃ最後に巡回訪問のシーンをとりましょう

それじゃ派出所をでるシーンからいきます用意いいですか？
わしの名演技をみせてやるからな

キッ
はいスタート！

ガタ

サッ
バッ
ピタ

わたくしはこれから巡回訪問にいく！
一千万都民が本官をよんでいるのだ！

日夜 国民のため悪とたたかいつづけてはや10年思えば苦難の月日だった…
みろ！雁がないて南の空にとんでいかぁ
まるで国定忠治だこりゃ……

おお なんと すばらしい 青空で あろうか!
まるで 貧血の顔の ごとくまっ青に すみきっている
ジーーー

いようー 両さんじゃ ないか!

こないだ いっしょにいった ストリップは よかったな
しっ 撮影中 だ!

何 道に まよった? それは いかんな!
ジー
何いってんだ? ストリップだよ 両さんも よろこんでた くせに!
そうか! 区役所へ いきたいのか よし! わかったぞ
うわっ ぷっ!

まず 手をあげ タクシーを ひろってだな 区役所へと いえば……
ジー
あれで 道案内してる つもりか?
グイグイ
わしは これで 失礼する! あとはおまえたち すきなように うつせ!

ふう
なんとか
ここまで
たどりついたな
各家庭の
訪問だけど
どこの家に
しようかな
えーと

この
あたりで
よかろう
そうですね
じゃあ
たずねる所
からいきます
へへへ
今日は
ついてるな
!
こんなに
金目の物が
たくさん
あるとは!
あき巣の
6割は
玄関から
はいるんだよ…
帰りも
玄関から
失礼する
かな!

ワンドア
ツーロック
涙みてからじゃ
おそすぎ
ますよ

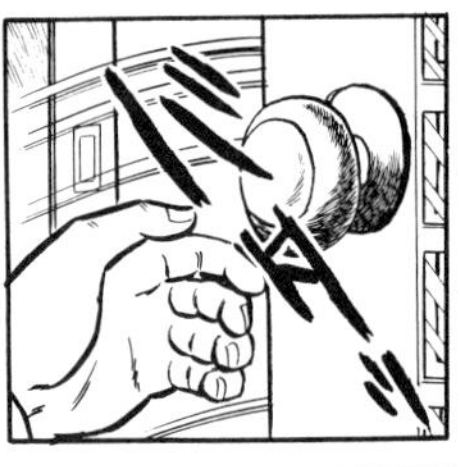

あーっ
!!

これから
でかける
とちゅう
ですか?
はっ!?

なーに
手間は
とらせません
しかし
その姿は…
えらい所を
みてしまっ
たなあ

ご主人
あなたも
競馬でしょ?
かくしても
ダメですよ!
それ質屋へ
いれる気でしょ
…ネ!?
いやあ
本官にも
経験が
ありますよ
ははは

そ そうなの
じつは これ
質屋へね…
でしょ!?
わかります
その気持ち!
お互いに
勝負師です
なあ!

先輩!
本番中
ですよ!
ジー
おっ
そうか!
つい……

警察に対する
ご意見
ご要望は!?
ズイッ
…とっ!

警察に対する
ご意見
ご要望は!?
ズイ
その
まあ……
がんばって
いるようで…

あら?

お巡りさん
なんですの?
うちで何か
あったの?
いや
ご主人に
防犯のことで
インタビュー
に…

おかしい
わねえ…?
こんな早く
帰って
きている
なんて?
ジー

きゃあ!
この人しらない
人よ!
ドロボウだわ!
なに!?
ばれた
か!!

うわっ
まて
こいつ!

中川
おえ!
カメラを
もってこい
はい!

まてー
!!

ようし!
犯人逮捕の
ドキュメントが
写せるぞ!

ジー

両津巡査長
これから
犯人逮捕に
全力を
つくします
何やって
いるんだ
にげられて
しまうぞ
ジーッ

もうすぐ
フィルムが
なくなる
なんだと！

ようし！
なんとしても
つかまえて
やるぞ！
カチャ

ワッパ
なげだ！
ビュッ

ビュ

やったーっ!!
うわっ
ガチャッ

なんだと！
今の所を
とってない
だと！
ちょうど
なくなっ
ちゃって…

よ　よし！
金をやる！
フィルムを
かってこい！
自分が利益に
なる時のみ
自分の金を
だすんだな…

はい 先輩 用意できました！ スタートできますよ
ようし！ 逮捕の所をもう一度やるからな！ 協力しろよ！

先輩 組みついたほうが迫力ありますよ
そうか よし！

でも この犯人なんとなくひよわそうだなあ

何か武器をもたせたほうがいいなあ！
ようし それじゃこの出刃を！

戸塚こいつが抵抗したらよろしくたのむぞ！
まかせておけ！
………
………

強そうにもろはだをぬいだほうが……
ビリ
ビリ

うん だいぶイメージがよくなってきたな…
おい！ もっと凶悪そうな顔をするんだ！ もっと!!

それじゃ
いいですか
本番いき
ますよ!
いいか
うちあわせ
どおりに
やるんだぞ
わかったな!
だんな
ちょっと
!!
ん!?
いわれた
とおりします
から
どうか………
刑期のほうを
かるくして
もらえま
せんか…?

それは おまえの
演技しだいだぞ
名演技をすれば
こっちのほうでも
よきにはからって
やらんでもない
ぞ!
そうですか
がんばります!
はい
スター
ト!!
どうだ!
この犯人め!
このわしに
かなうと
思ってるのか!
いい
ですよ!
そう!
そのまま
ぐく なんと
強いお巡りだ
負けて
しまう!

あの犯人もけっこう役者だなあ!
そこで顔アップはい!にっこりとわらって!
ニッ
ニッ
ジー

ばか!おまえまでわらわなくていいんだよ
いてっ!
パチ

ではフィニッシュ逮捕後のみちたりたいいえみを!
はい!チーズ

パチッ

派出所の一日といってたのんだのに……どこをみてもこの囚人しか写ってないとはどういうこと!?
ジジジジジジジ
子ども会 映画会
刑務所でのいかりくるう変態の日びってタイトルにかえたらどうかな
どっちにしろこんなもの子どもたちにはみせられんな!
夏休み映画会予定表

★週刊少年ジャンプ1977年33号

富豪巡査・中川の巻
AOYAMA
TAXE
TAXE

中川 もっと
スピード
でんのか?
この車…
ポリ
ポリ

でます
けど……
国道じゃ
これ以上
だせませんよ

ちぇっ
ケチ!
ポリ

しかし
先輩が
うちにくる
なんて
初めてですね
ちょうど
夜勤明けの非番で
休みだからな
たまにゃ おまえの
家であそんで
やるよ!
ピーナツ

おっと
赤だ!!

キ

あっ!!
ガ

ばか!
殺す気か!?
だから
安全ベルト
しといてと
いった
でしょう

めんどう
くせえなあ
こんな物！

パッ

ギギギ

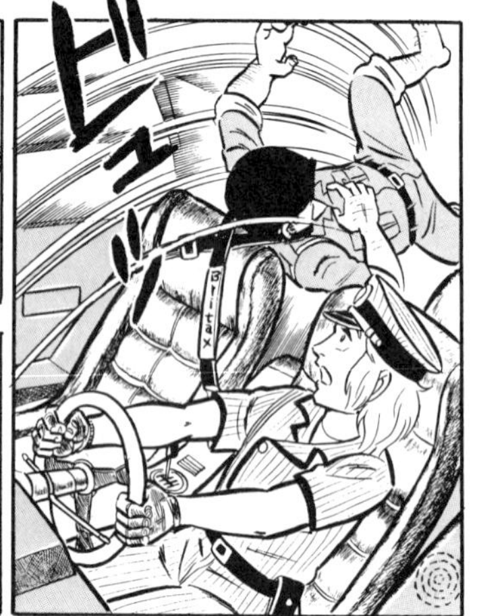
ビビューッ

やだなあ
あそんで
いると
危険
ですよ！
ぐぐる
じい…

いい年して
車にのると、
はしゃぐん
だから…
ば…ばかっ
ベルトが
ノノドに…

えっ!?

ぼくは また
てっきり
ふざけて
いるのかと
ばか
もの！
ゴホ

もっと安全運転しろ! 中川!!
は はい!!

じゃあ先輩も始めからころがっててください
ちぇっ
ポリ

まだつかんのか? いったいなん時間かかるんだ
ポリ ポリ

となりはぼくの家ですよ
ん!?

家なんてみえんぞ カベばかりじゃないか……?
このヘイのむこうがぼくの家なんです
ビィイイイーーン

そうかじゃあ
もうすぐ
だな……
ブロロロ!

………
………
………
イライラ

10分後…

いったい
入口は
どこなん
だっ!?

どこまで
このヘイは
つづくんだ!?
なーに
もうじき
ですよ!

こんなに
広いなら
表門以外に
もっと門を
あっちこっちに
つけたら
どうだ!
全部で
門は12
あります
よ……

今 ここから一番
近い青春の門に
むかっている
所です
表門まで
いったら
今日中に
つきません
よ!
な
なに!?

そんなに
たくさんの
門が
あるのか?
ほかに
桜田門
らしょう門
みとこう門
などが…

いいかげんにしろ！つきあいきれん!!

ほら もう門が みえてきました

キキーッ

これはおぼっちゃまお帰りなさい…ん!?

どうしたんです…そのゴリラのおき物は…？
ばか！署の先輩だよ！

ブロロロロ

もう自分の所だからスピードをだしますよベルトをしててください
よしわかったよ！

す すごくでるんだなあ！
家までかなりありますからね！

道路を走れる車で世界有数の速さだからこのカウンタックえらんだんです

おかしいなあ道まちがえたかな？
てめえの家だろ!?バカ！

えーとこの道をこうしてきたから………
ち 地図まであるのか!?
ガサガサ
52年度版
中川宅案内図

あっ ちょうど いい 道案内の ジープが きた
ブルル…

キキ
あっ これは ぼっちゃま でしたか…

まったく こんな めんどうなら くるんじゃ なかったな

ギギー

ギャアア
この先
青春の門

今度は 家まで なん時間 かかるんだ… 5時間か?
いや もう みえて ますよ ほら!

なに!?

なんと!!

こ これが
おまえの
家か!?
いえ
ぼくの
部屋ですよ

両親たちは
むこうにみえる
家に住んで
います
その隣が
ぼくの
妹の家です

そ　そうか
なかなか
ささやかな
庶民的
家で……
ガッ
つきましたよ
先輩！

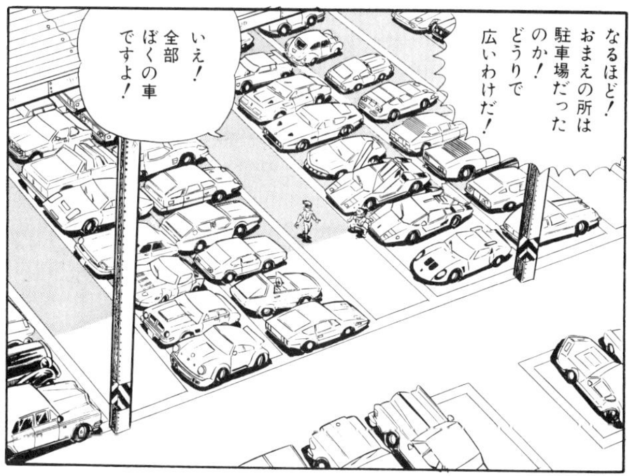
なるほど！
おまえの所は
駐車場だった
のか！
どうりで
広いわけだ！
いえ！
全部
ぼくの車
ですよ！

な　なに!?
みんな
おまえの…？
そ　そうか
ははは
よかった
ら
あげますよ
2　3台！
帰りに
のって
いって
くださいよ
先輩

なにくそ！こんなことで圧倒されてたまるかっ!!こちとら江戸っ子だ！上司だ！
さあ早くぼくの部屋に！

ビターン

気をつけてくださいよ先輩！
長い足がからんでなははは

これでよく遅刻する訳がわかったでしょ？
ままあな…

ギッ
ここでゆっくりしてください！

今すぐブランディーでもはこばせます

あっ
先輩は
お酒のほうが
よかった
かな…？
うむ！
そうだな！
ズブ
ぐわっ
うまって
しまう
ーっ
ググ
ぼっちゃま
お酒を
おもち
しました
ん…
ありが
とう！
あれ…？
先輩は
どこかな
……？
ギュッ
おかしい
なあ……
トイレ
かな？
ギュウ
ぶぎゃっ
あーっ
なんで
そんな所に!?
レスキュー
部隊をよべっ
でられん！

まったく調子のくるう所だなここは!

こんな所におまえひとりで住んでいるのか?
ええいつも退屈してこまってますよ!

この部屋だって署の寮全体より広いじゃないか!なにもかも広すぎるぞ!!
いやあなれればそんなに気になりませんよ

おまえの親はどんな商売してるんだ…?
さあ……祖父は公爵だったとかきいてますが…

それにしてもおちつかん所だなこの部屋は…
それじゃ家を案内でもしましょう

銃のコレクションがあるんですぜひ先輩にみてほしいなあ
そうかぜひみてやろう

本署にはないしょにしてくださいよしれたら大さわぎだ!

ほかにも
いろいろと
コレクションが
あるんです
少しずつ
みて……

なんだ
この部屋は
いったい？
え!?

部屋の中に
プールが
あるのか？
夏は
いいなあ
サウナ
プールじゃ
ありません
浴室です
おフロですよ
先輩！

なに？
これが
フロだと
よかったら
はいって
いって
ください

ちぇっ
あんなフロに
はいれるかっ
てんだ！
フロってのは
ひのき作りで
カマでたくのが
フロだ　ありゃ
やはりプールだ

銭湯でも日本てぬぐいきりりと頭にしめてせっけんひとつもっていくのがイキってもんだ
先輩この中にどうぞ！

ほうここはせまくておちつける部屋だな

下町そだちのわしにはこのくらいの部屋がちょうどいい

ななんだ地震か!?
グーーン
おおちつけ中川

け警察官たるものどんな状況においても冷静かつ沈着でなければいかんぞ！
ビーーーン
地震じゃありませんよ！先輩

なに!?この部屋がエレベーターだと!?
こっちです先輩！
わしの実家と同じくらいの広さなのに……すると実家はエレベーターでくらしてるのと同じって訳か!?

この貧富の差はどこからきたんだ？
ここですよ先輩！
パチッ

どうですちょっとしたガンショップみたいでしょう
ほおなるほど

こいつあおもしろいたのしいな
いろいろありますよ！
ガチャ

これはヒットラーが愛用してたワルサーPPK（ピーピーケー）です

兄はわがままですから大変でしょ両津さん

いやあなんの心配にはおよびませんよ!

そんなことより
先輩
この銃を
みてくださいよ
これ!

ここにある
コルト
テキサス
パターソンは
第一号モデル
なんですよ
ニュー
ジャージー州の
パターソンで
作られたから…

先輩
ちゃんと
きいて
いるんです
か!!

ああ
ちゃんと
きいとるよ
このごろは
魚ばかりか
キャベツまで
高くなって
きて…その
いつ
キャベツの話
しましたか!?
この銃のこと
いってたんですよ

兄は 大変な
ガンマニアですの
興味のないかたには
きくだけでも
つらいでしょ…
コーヒーでも
どうぞ
おまえ
何いってんだ
先輩は
わがシューティング
クラブの
リーダーだぞ

もういい
むこうに
いってろ
!!
この部屋は
女がでいり
する所じゃ
ない!
銃の話に
女が口を
だすなんて
まったく!
あれ?
どうか
しました
か?

わし帰りたくなったなあタクシーよんでほしいなあ
それはいけないこまったな

そうだここにある銃をうったらどうですスカッとしますよ!
えっここでうっていいのか!?

地下の9階に射撃訓練場がありますすきな銃をもってきてください
なん丁でもいいんだな!

そんなにうてるんですか?先輩!?

今度ここで大会でもやりましょうよ
グーン
B9
第一射撃場

ここは30人一度に射撃可能です!
ガチャ
ふうよいしょっと!

ほう深川射撃場より設備がいいなあ

マン
ターゲット
ですが
うってみて
ください
ようし
まずは
拳銃で………

ズガ

あっ!

先輩
ちゃんと目を
あけて
うって
くださいよ
あけて
うってるわ!
ばかに
しやがって!

銃が
悪いんだ
もっと
高そうな
銃を……
すぐ
銃に
責任転嫁
するんだ
からな!

よし
これなら
いいだろ
夜店の
射撃も
うまかった
からな…

ドギュッ
ゴキッ

★週刊少年ジャンプ1977年29号

育ちざかり!?の巻
亀有公園前派出所
火の用心
警察官
募集中
受付

なに!?
両津が
病気!

ええ
2 3日
入院する
とかで…

信じられん
あの無神経で
ビルから
つき落としても
死なんような
がんじょうな
男が………
なんでも
ウナ丼に
ジャムをつけて
コーラでまぜて
たべたそうで…

そのていどの
たべ物は
両津の胃なら
消化するん
じゃないのか
そのあと
犬といっしょに
ドッグフードに
マヨネーズをかけ
5ハコたべたと
いってました

さすがの
先輩も
今回は
元気なくて
ぐったりと
してました
そうか
ちと
気のどくな
気もせん
でもないな

今
亀有野病院に
入院して
いますよ
みんなで
元気づけに
いってやったら
どうですか?
部長
そうだな
いると
うるさい男だが
病気となると
ほっておけん!

もうすぐ
引きつぎだ
帰りに
みんなで
見舞いに
いくか!
そう
ですね

三割引き期間中
9月10日～12月11日 サービス中
亀有野病院
病院案内
内科 外科
第一内科病室
面会時間
夕方 3時より
夜 7時まで
いやっ ほーっ
やった新記録だ!
いやおれのほうが5センチ先だ!
ちがうこのお巡りさんの勝ちだ!
ドスッ
ようし今度こそぬいてやる!!

それーっ
ガシャーン
新記録だあーっ
たしかに新記録だ だれにもぬけん…
あいつこれで内科病室から外科へ引っ越しだ…
きた! 看護婦が検温にきたぞ!
じつにいいライバルだったがな どうだ今度はおまえが挑戦するか?
い…いやと…とてもお巡りさんにはかないませんよ!
なに!?

やばい
元にもどれ
早く!
バッ
なにごとも
なかった
ふりを
しろ!
ちゃんと
検温しまし
たか?
はい
小林さんは
37度ね
食事は?
おい!
ちゃんと
くわえてた
ろうな!?

なんだ
15度だって
!?
もっと
あげなきゃ
だめだ!
バレるぞ
キュッ
キュッ
両津さん
なに
やって
いるの?

あ 看護婦
さん…いらし
たのですか
頭が われる
ように痛く
つい
気がつかず……
単なる
たべすぎ
ですよ
だいじょうぶ
よ……
昨夜……
病の峠を無事
こえたようです
こうして生き
いられるのも
看護婦さんの
おかげです
なに
いって
いるの
お巡りさん
のくせに…

はい
体温計を
みせて
ください
ね……
あら
…?
ポト

つっい…
指の力が
はいらず
………
そんなに
悪いの?
おかしい
わね?
まあ
43度も
あるわ!!

ちょっと
まっていてネ
注射した
ほうがいい
みたい
先生に
きいてくる
から
もう一度
検温して
いて!

くそ!
あげすぎ
たか!
裏目に
でた……
注射を
されちまう

こら 犬!
おまえが
まじめに
やらんから
だぞ!
いそうろう
のぶんざいで
御主人様に
めいわく
かけるとは!

両津さん
注射を
しますよ

はい
うでを
だして
ください
………

!!
さあ こわがって ないで 手を だして…

きゃあーっ!!

な… なにか 毛むくじゃら した物が ふとんの中に ………
手ですよ 手! 病気で 毛深くなり ましたね…

あまり おどかさ ないで くださいね

キャイン
今の なんですか?
い いや しゃっくりが 時どき でるんです 気にせんで ください

あら…? 北原さんは どこへ いったの?
ついさっき 外へ… ちょっと…

こまるわね
ちょくちょく
ベッドを
あけて！
注意しといて
くださいね
！
もう
とうぶんは
動けない
から
だいじょうぶ
ですよ

こいつ！
声をたてる
やつがあるか
ドジめ！

ガラガラ…
はい
みなさん
食事
ですよ

両津さん
食事と
お薬ここに
おいておくわ
よ……
コト

ちぇっ　また
おかゆと
しらすぼしか…
もっとマシなの
ないの？
あなたの場合
食事を少し
ひかえたほうが
いいのよ……

せめて
アジのたたきか
冷ややっこでも
つけるとか…
ねえ！
はい
神田さん
お薬が
変わりまし
たからね

ちくしょう
ムシして
いやがる！
育ちざかりの
このわしが
こんな粗食で
たえられるか！

いやあ きみたち 日夜 治安を守る お巡りさんに 感謝する時が やってきました！
これから たくはつを おこないまーす！
それぞれ おそなえ物を 一品ずつ 前にだして おくように！
きみは 焼き魚か まあ いいだろう うん！
うむ なかなか いけるぞ
きみは 白鳥四丁目 だったな！ よきに はからうぞ
パリ パリ

きみは タマゴ焼き かね！
おう 本官の 好物！ キンピラゴボウ があった！ いただき！
きみは なかなか 評判が いいぞ
きみは 金町だったな よし！ 今後 パトロールを 強化しよう！

みなさんの 御協力で かなり にぎやかに なったな…
これでこそ 人間のたべる 食事と いう物だよ なあ！
ほら おまえにも やるから な！
いつか この恩を お金で かえすんだぞ！

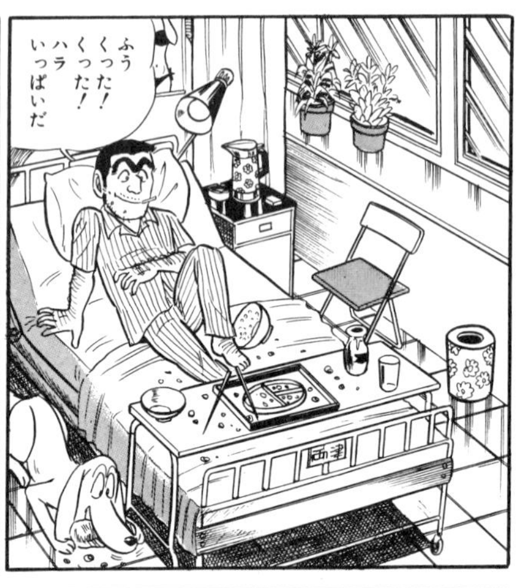
ふう
くった！
くった！
ハラ
いっぱいだ
両津

食後は、
やはり
酒を少し
やらんと…

また
看護婦に
みつかると
うるさい
からな…

病院で
かくれてのむ
酒の味は
なんとも
いえん！
はははは

あら!?
両津さんの
所…カーテン
しまってるわ

やばい
きやがっ
た！

どうしたの!? 熱があるから 先生にきて もらったのよ
あ 明るいと ねむれなくて…… つい……… 神経が繊細 なのかなあ ぼくって……
せ せんせ…… 食事もろくに ノドに とおらなくて… 食欲皆無……
ははははきみの病は 医学用語で いうところの 総合腹痛 女性禁断症状 とよんでいる 気にするに 価しない!

私が つい先日 西ドイツに 講義にいった 時も そういう クランケを みました
そこの ナースに もてすぎてね 日本へ帰る時は つらかったー はっはははは
たちくらみ がひどくて フロに長く はいってると のぼせるん です
ひと月くらい 入院したほうが 自分にとっては いいと思う のですが……

だいじょうぶ カルテによると オペの必要も ないね
頭以外に 悪い所はない オール・グッドだ つまり 医学用語で いうところの 葛飾医大馬鹿 皆入学理事 丸もうけ だね!
どれ! 教授みずから きみの血圧を はかって あげよう

うむ…
カン
ビール!?
ゴトッ!
おもちゃ
きみかね
このクランケの
腹にビールを
のせたのは?
いえ
しりません!
先生は
ごぞんじ
ないの
ですか?
うむっ!?

はらいた
には
カンした
ビールを
ハラにのせる
のが一番
いいんですよ

そ
そうだ
今 思い
だしたぞ
じつに!
じつに
するどい!

私が先日
南フランスに講義
にいった時だ…
学会で発表が
あったな……
ビールに
ふくまれている
ホップが胃に
効果を与える
そういう
説があった
つまり 医学用語
でいうところの
締切反抗睡眠
短時間発狂寸前
とよんでいる

じゃ 先生
おなかを
診察しましょう
あっ
とっちゃ
だめ!
いや その
つまり…あの
ビール以外にも
日本酒や
ウイスキーも
きくんです
つまり
医学用語で
いうところの
男皆色情狂山止妻募集限美人と
よばれてまして…
あっ
全部
とられちゃったね
お巡りさん
うるせえ
まったく
もう!
あれ
お巡りさんが
四人も
きたぞ…
なに!?
あっ
部長
たちだ!

あうと
またうるさいから
にげちまおう!

屋上にいってひるねでもしてくるか
ナース
ステイション

ドシン

いてっ!このバカ気をつけろ!
消火器

しーしずかにしてください!

いててて病院にきてケガしてりゃせわねえや!

げっ！こっちからあがってきた!!
検査室

やばいこの中にかくれよ！

まったくあのバカいいものをたべすぎたんだろう？

くそ！本人がいない所じゃなにいわれているかわかったもんじゃないな！

おっ…この部屋は…？

おーっ教授のロッカールームか!!
よーしおもしろいことを考えたぞ！

ゆうべ盲腸手術をやりましてね入院ですよ
そりゃたいへんですねえ

え〜〜〜回診の時間ですよ！
おや？みかけん先生だな…

おや！魚屋のトメ吉じゃないか！
よし！いっちょからかってやるかな

どうです体の調子は…？
それが先生わらうとものすごくいたくて！

本当ですか？
はは…いてて…は…はくくるしい
コチョ
コチョ
コチョ

う〜むこれは大変だきみは異常体質だな！手おくれかもしれん！
えっ！だだいじょうぶなんですか!?

心配はいらん
私の
新理論による
治療法で
なおして
みせよう
まず
手を
しばり
あげ……
?
ガチャ

そして
テープで落語を
ききながら
なおすという
ユニークな
方法を
とっている
ば
ばかな!?

PLAY REV
パチン

じゃ
私は
これで
どうも
ごくろう
さま!

この人
あばれて
いるけど
………
なな
くくく…
いたた…
ははは…
くくる…
先生の
やることだ
心配は
いらん
だろう

先輩
いったい
どこへ
いったん
だろう?
まさか
病院を
ぬけだし
たんじゃあ
ないだろうな

みんな
わしを
さがして
いるな
よーし
からかって
やるか!

えー
おほん
おほん!
あっ
先生
だ!

大変ですよ
ここにいた
ブタのような
大食男が
にげまして
ね！
ピリッ

そんなことは
ほっておきな
さい！
きみは
血圧が
高そうだな
なおして
しんぜよう
そりゃ
ねがっても
ないことで
ですな！

ガン

この方法が
一番いい…
あ　あれ！
きさま
両津！

まて
ーっ

つかまっ
たら
殺されち
まう！

おい
これか
？
そうだ
はこぼう
ぜ……
ガラ
ガラ…

くそ！どこへにげたんだ！

部長 両さんがみつかりました！
なに
!?

バタン

なるほど………
ここでしたか………

部長！まちがいといってくれ手術されちまう！
いい機会だ一度 両津の心臓がどうなってるかみたかったんださあ始めてくれ
ぼくは先輩の頭の構造をみてみたいなあ………

★週刊少年ジャンプ1977年42号

亀有でこぼこ
コンビの巻
GAS CLEANER
NWE-HIT
SPRAY
FOR
GAS CLEANING

さっきから
両津ひとりで
何やってる
んだ?
ほう
銃の分解
掃除を
してるのか?

手いれを
したまでは
いいんだがな
組みあわせが
なかなか…
手こずってな…

ビョ〜〜〜

もう
やめだっ!!
くそ!

ジャラ
おい
そんな所に
すてちまう
気か!?

かまわん
ゴミだ
そんな物!
組みたた
なけりゃ
ゴミ!

イライラ
してきた
犬はどこだ
犬は?
さっき
中川と
公園に
いったよ

あの犬めメシばかりたべやがって少しも役にゃたちゃしない
アグネス・ラム物語

ワンワン

こらっ中川！勤務中にどこほっつき歩いてるんだ！
ワンワン

おまえもいそうろうのくせに少しは忠義をつくしたらどうなんだ！
あっまった先輩！

この犬ちゃんと買物できるんですよ！
なんだと！本当か？

先月からちゃんとしこんだんですからねバッチリです
このノラ公が……まさか!?

タバコを買ってくるんだぞおつりもわすれるなよ
ワン

きっと　あの犬金をネコババしてしまうぞ！いや　犬だからイヌババだ
そんなことありませんよりこうな犬ですよ
ほらもどってきた！
ほら！セブンスターとおつり50円ちゃんと…
……なるほど！

そいつあおもしろいじゃあわしもやってみよう
いいですよ……なんでも……ん？
洋服ダンスなんてむりですよ大きくて！
なんでもいいといったくせに！だめか…これ？

このフロシキの中にはいるていどの品ですよもっと小物なら……
それじゃ10kgの鉄アレイと……
S&Wの38口径回転式拳銃を一丁…

さっきからむりな物ばかりかいているじゃないですか！
ちぇっけっきょく何もかもだめなんじゃないか！

一般的な品物ですよタバコとかコーラとか…
わかったわかった

キャベツにヤキトリにBMW(ベーエムベー)のプラモデル……まままあこのていどならいいでしょ
キャベツヤキトリBMWのプラモ
よーしそれじゃ金をこの中に…

道草くってるんじゃないぞ!特急だ!
ワン

ちゃんと買ってくるかな?しかし100円であれだけ買えりゃ安いもんだ
えっ!?

なんですって100円しかわたさなかったんですか?
わしなんざ買い物する時かならずまけさせるぞ!

相手は犬なんですよそれもたった100円なんて!
そこはおまえうまくやりくりするんだよ
かわいそうにさぞこまっているだろうな………

もどってきたか!だめだったろう?
ワン

あ!ちゃんと全部買ってきました!!
あたり前だ!金わたしたんだからな!

なかなか忠実な犬だ気にいったうん!

ヤキトリ 50
¥500
請求書

51-34
なんだこりゃ…?何か本官に用事か?
ヤキトリ
鳥亀

51-34
代金ですよ!この犬が両さんからもらえと!

金?しらんぞ!その犬が買ったんだ犬からとりたてろ
ごまかされませんよ さあヤキトリ代500円!

ちぇっ!
けっきょく
自分ではらう
わけか……
くそ!
プラモ
デル代金
2000円です
ロースハム
代金
2500円!
わかった
よ!
いちいち
うるさい
な!

まったく
高い物
ばかりじゃ
ないか!
ロースハム
が2500円も
するとは…

ロース
ハムだと
……☆

ヴァ
このやろう!
自分の物まで
金はらわせ
やがって!
ぶち
殺すぞ!!
最高級
ロースハム

ダッ
まちやが
れっ!!
こいつっ
うわっ

かくごしやがれっ！

ガキッ

くそ！ちょこざいな！

ズバッ
きゃあ

ガバッ
さあつかまえたぞ！

そんなにロースハムをくいたきゃおまえ自身をハムにしてやるかくごしろ！
ギラ

タタ

あ　両津さんもきてたのですか!?
何ごとだ？いったい
今　パトロール中このへんに刃物をもった男があばれていると報告があったもので！
しりませんか両津さん？
サッ
しっとるぞその男ならむこうへにげていった
よし！まだまにあうおうんだ！
くそうだれだよけいなことしやがったのは？
どこのどいつだ警察に連絡しやがったのは？
でてこい！勝負してやる！
うわっ
きゃあ
やい！きさまか！
ちがいます！
おまえかこら！
ひえ〜〜〜ちがうよ！

ふだんは無関心なくせに！ちくしょう
何やっていたんですか？ずいぶんとさわがしかったけど……
どうもこうもあるか！いてててて…キズだらけだ！
あの犬もなかなかやりますね先輩よりうわてだ！
うるさい！だまっとれっ！
レコード店

金はでていくし犬にはなめられるし……
今日は厄日だ！

調子わるいから もうねるからなじゃあな

事故ですきてください！

両津
たまには
おまえいって
こいよ!
えっ!?
この所
おれと中川
ばかりだからな
気ばらしに
おまえいけよ
ちぇっ
ひとりで
いくのか…?
かったるい
なあ……
おい!
にげるな
もう
やめだ!
すんじ
まったことは
しかたない
男同士だ
水に流して
やるから
こっちへ
こい!

ロースハムを
おごったんだから
その分　労働
しろよな!
男の義理
ってもんが
あるからな
ようし
はしれっ
それーっ
まるで
南極の
越冬隊だね
派出所の
ハジを
さらしまく
っているよ

それ
ーっ!!
はいよ
ーーっ!!
八百屋
魚
ビューーッ
わははは
みんな
注目
しとる!
頭上注意
工事中
あっ
ちょ
ちょっと
まて!
頭上注意
いつつつ
つつ……
このバカ
前をよく
みてはしれ!

ここか？
事故現場は？
キーッ
ガヤ
ガヤ
ん!?
なんだこりゃ？
どうなっているんだ
暴走族の連中と
単車のグループですよ
まっぴるま往来で
大げんかしてこのありさまですよ
こんな事故は交通課のプロにまかせたほうがよさそうだな
手のつけようがないよ

とりあえず現場保存でもしとくかな
せっかくきたんだからな

ん!?
ゴシ
ゴシ

こら!このガキめ!
人がせっかくかいている所を!

ガヤ
ガヤ
くそ!またこっちもか!

ようしこっちにも考えがあるぞ!
ぼしょぼしょ… わかったな……

いやあすみませんね…みなさん

その犬狂犬病にかかってましてね気をつけてくださいねあぶないですよ
うわっ
きゃあ
グルルル…!

ははは
みろ！
おまえ
人っ子
ひとり
いなくなっ
ちまったぞ
ワン
ワン

なかなか
おめえも
いい演技を
やるじゃねえ
か……
よく
やった！

プアン
プアン
プアン
おっ
きたきた

ここで
交通課の
くるのでも
まつか！
ゴロリ

おい
おまえら
おそかったぞ
グズめ!
すみません! 道路がこんでいたもので…
どうしたんです
こんな大事故
だというのに
ヤジ馬ひとり
いないなんて
これが都会の無関心ってやつだ
ひどいもんだろ
帰るのに車かりるぞ
いいな
ええ
どうぞ!

ふあ
あーあ
Aloha Lei

なんです
パトカーに
自転車を!
公園前
派出所
までやって
くれ…な

犬まで
のせちゃって
ちょっと!
さっさと
いかんか!

うしろの
荷台に
おいてください
よ　これじゃ
運転しにくく
って……
ガシャガシャ

ブオオオオオオオ

ガタガタ
いわず
さっさと
やらんか！
わかった
わかった

わははは
やかま
しいなあ
もう…

あっ　ばか！
今　通り
すぎた道を
右だ　右！
え!?

きさま運転
ヘタクソだな
よくそれで
パトカー勤務が
できるな！
未熟者めっ
通り
すぎてから
いったって
ムリですよ

どけ！
おまえじゃ
役にたたん
犬！
おまえ
やれ！
あっ

パトカーにキズでもつけたら大変だ!!
心配すんなこの犬はちゃんとA級ライセンスをもっておる!

ダオオオオオ

ドスン

何がA級ライセンスだ!とうとうぶつけてしまって!
あっ両津!おまえ…

なんだいったい!
ダッ

やい犬!きさま運転もロクにできんのか今まで何やってきたんだ!
ひどい!パトカーの前部がへこんでしまった

なーにそのほうが野性的でいいじゃないか
人ごとだと思って!いいかげんなことを!

カベはどうする？ほっとく気か？
いやこの犬にここにたっててもらって

どうだこれでごまかせるじゃないか
ん…どうかした？

ついでに両津も犬といっしょにたってたらどうだ！
まさか！ばかばかしい！できるもんか！

そんならあんたがそこに…
あっ部長！

なかなか両津もうまいもんだその分ならいつクビにしても転職できるじゃないか？
こらガキどもみせもんじゃねえぞしっしっ！
アグネスセメント
MADE IN USA

★週刊少年ジャンプ1977年34号

ふるさとは
遠かったの巻
COFFEE
浅草新劇場
浅草東映
日活
パラス
浅草東映
浅草新劇場
浅草世界館
太陽の恋人
アグネス・ラム
上映中
浅草東映
新劇場
浅草新劇場
上映中
18-18

ブロロロ…
いつものゴキブリみたいな車とちがって乗りごこち悪いなあ

カウンタックに大きな荷物はつめませんからねえ

台東署のやつら気前よく道具をかしてくれたな…
今年の仮装大会はこれでバッチリですよ！

しかし浅草にくるのもひさしぶりだなあ
浅草名物雷おこ
店

おい中川みてみろ
え!?

これが有名な雷門のちょうちんだ
へえこれがそうですか……
金龍山
雷門
警視庁 勤務交番

仲見世をぬけると浅草観音がある…このあたりが六区だ！
そうか！先輩はここの生まれでしたね！
ネクタイ

実家が吉原とか…ちょっとよっていったらどうです？
じょじょうだんじゃない！き勤務中だぞ！

えんりょすることないですよせっかくだからよっていきましょうよ
ややめんか！こらっ
キキッ

つくだ煮
よろず屋
つくだ煮
よろず屋

へえ？先輩の家はつくだ煮屋さんだったのですか？
よけいなことしやがって物好きめ！
ここは
台東区
吉原

さっ もう家をみたからいいだろ帰るぞ！
あっ先輩！
警視庁

ここまできたんだから家の人にあいさつしてきたほうが…
うるさいないろいろと事情があるんだよ事情が！

事情ってどういうことです原因は？
あのおやじが店をつげと毎日毎日わしにうるさくいったのが始まりだ

頭にきてゴキブリのつくだ煮を店にだしておやじにみつかり大ゲンカだ！
わしはおやじを勘当してやったそして家をとびだしたんだよ

だからあの家のしきいは2度とまたがないわけ！
わかったら帰るぞ！
あっ先輩！
警視

2度とはいれないなんて自分の家でしょ
ちがう！親子の縁を切ったのだからあれは他人の家だ

だいたいつくだ煮なんて大きらいだったんだ
朝昼晩はもちろん弁当にまでつくだ煮をいれやがって…おかげでつくだ煮中毒になっちまった！
今おもうと新しくつくったつくだ煮の実験をしてたってわけだよ！
自分のむすこをなんだとおもっていやがるんだまったく！

子も子なら親も親だ！すごい親子だな…
早く帰るぞ！
パパ よろず屋のおじさんだ
本当だ両さんじゃないか
警
大内商店

元気かい？あんたがいなくなってみんな よくうわさしてるよ！
口の悪いやつは店をついでたら3日でつぶれたろうなんてね…ははは
うるせえな
両さんが警官だなんていっても だーれも信じないし……
だまれっていってるのがわからねえのか！
チャ

相かわらず人のうわさばっかりしやがってこいつっ！
まあ先輩！

仲見世へでもいってみやげかいましょうよ先輩の家に……
ちぇっだからくるのがいやなんだ

ブロロロロ…
吉原 つくだに よろず屋
よろ
あなたの夢と健康を守る 吉原ふとん店

さすがに
にぎやか
ですね
せ………
先輩!!

まったくもう
先輩のために
さがして
いるんですよ
すまん
すまん
つい ふるさとに
帰ったもんで
なつかしく
なってな!
水菓子
なんかで
いいんじゃ
ないかな
おっ
これが
いい!
雷おこしに
浅草のりを!?
地元の名産
じゃない
ですか!
あんな
親にゃ
なんでも
かまわん!

それじゃ さっそく とどけに いきましょう
そう あわてるなよ 中川…
仲見世
内田屋

どうだ わしがひとつ 町案内 してやろうか…？
えっ？ 家に いくのじゃあ……？
山屋

夕方にでも いきゃあいいよ 少し あそんで いこう！
べつに いいですよ 荷物を とどけりゃ 仕事は おわるし…
余荷解屋
よにげや

よし！ 花やしきに つれていって やる！
なんです 花やしき って…？

遊園地みたいな もんだ わしら ガキのじぶんにゃ タダだから 毎日のように いった所だ！
祭

ん横通り
大黒家
ファミリーホテル
TEL 1234

くそう休みでやがんの！
花屋敷通り
やしき
花やしき
洋服
洋服 そのべ
浅草花火大会
本日定休日
松竹ベーカリー
目玉の金ちゃん

ガン
残念ですね…せっかくきたのに
ちくしょう

イクスキューズミージャパニーズポリスマン？
浅草演芸ホール
TOKYO JAPAN MAP
な…なんだとやる気かこいつ！

ポン
わしに無断で休みやがってそういうなまいきな態度を…☆…
浅草ストリップストロング内田
下町の味

やるなら
相手に
なってやる
こい！
先輩！
ぼくが
かわります
よ！

浅草演芸ホール
ちくしょう
わけのわからん
ことばを
話しやがって

日本語くらい
しゃべれる
ようにしてから
日本にこい！
でかい体
しやがって
ドスーン
いてえ
気をつけろ
こいつっ！

どこに
目を………
つけて
………

TOKYO
JAPAN

が…外国に
きちまった
のか？
どうなっ
てるんだ？

キャンユー
スピーク
イングリッシュ?
また
始まりや
がった!

ペーラペラ
ペラペラ
ユーノー
?
ああ!
もう
好きなように
しゃべって
くれ!

ペラペラ
ペラペーラ
ペラペラ
ユーノー
イエス
イエス!
もっともだ
おまえの
いうとおりだ
えらい!

オー
サンキュー
ベリーマッチ
な なんだ
マ…マッチが
どうした!?
なんだ!?

ペラ
ペーラ
ペラペラ
オー
グッド
何か
悪いこと
でも
いったの
かな?

浅草名画座
うわあっ
おってきた
——っ!!

草新世界
浅草名所
新世界
こんな時は
早く
にげちまった
ほうが
よさそうだ

あの連中をおこらしたことにはまちがいなさそうだ！

ガツ

うぎゃあ中川！たすけてくれ殺される！
あっ先輩の声だ！
あさくさ松竹演芸場

どうしたんです？
あっ中川!!

あいつらよってたかってわしをなぶり者にする気だ！
まさか!?
松竹演芸場

ペラペラフフン
ちくしょう戦争にまけたからってバカにしやがって
ロック座
THEATRE ROKKU

日本男児の大和魂をみせてやるぞ！
まあまあ気をしずめて
天ぷら定食

先輩
あの連中の
ガイドを
ひきうけ
たんですか?
ばかな!?
ことばもしゃべれ
んのに　ひきうけ
られるはず
ないだろ!

テキサスから
アメパックツアーで
日本にきたと
いうからさしずめ
アメリカ版農協と
いった所ですよ
おのぼりさんか
おどかしやがって
ただカメラとハタを
もっていないだけか
そうとわかれば…

はとバスで
見物していて
はぐれてしまった
ということです
そこへ先輩が
きたから
案内を
たのんだと
いってますよ
なに
東京見物?
すると
いなか者か?

やい!
きさまらっ
さっきは
よくも
おどかしたな
バカどもめ!
何いってるか
わかるめえ
ざまあみろ
TOKYO
ズイブン
カオト
ガラワルイ
タンソク
オマワリ
ネ!
ド
テ

きさまっ
日本語を
しゃべれる
ならなんで
使わなかっ
たんだ!?
アンタ
ハーフト
マチガエテ
シマッタノ

ハーフね…
日本人ばなれ
してるからな
本官の顔…
さしずめ
フランス人の
ハーフとか…
ノーノー
チガイ
マスネ!

クロマニヨント
オランウータン
ノハーフネ!
アルイハ
ニンゲント
ゴリラノ
ハーフ!
アルイハ
………
ズズ……

このアマ
日本人を
なめると
生きて
この日本
から…
先輩
!!
オー

せっかく
外国から
日本観光に
きたのに…
親切にして
やらなきゃ
いけません
よ!
ヒー
イズ
クレイ
ジー
ダー
ティー
ハリー
ガヤ
ガヤ
くそ!

ぼくらの車
マイクロバス
だから
のせていって
あげましょう
かってに
しろ!

ブロロロー…

先輩!
説明して
くださいよ
ガヤ
ガヤ

ただ回って
いるだけだと
……これも
日米親善だと
おもって……
わかった
よ!
やりゃ
いいんだろ

みなさま左をごらんください
あのつったってるのがかの有名な金閣寺でございまーす

先輩ちがいますよ
外人にゃ何いってもわからんよ!

つづいて右手にみえますのが……

東京駅八重洲口でございます

前方に みえますのが 桜島で ございます もう少し いきますと 北海道が…
相手が しらぬとは いえ めちゃくちゃ すぎるよ…

チョット チガッテ マスヨ オマワリ サン
なに が…?

これが 東京タワー? ちがーう これは NHKの アンテナ
東京タワーは 去年 つぶしたんだ このガイド ブックは古い 信じちゃ いかん!

先輩 ぼくは 実家にいって みやげ物を わたして きますよ
そうか 中川

まったく 家の 近くにきて あわないなんて 変な親子だな

中川 さむく なるから カゼひく なって つたえて くれ

………

かるーく
ローヤル
ストレート
フラッシュ
ね！
全部
いただき！
オーノー
ユー
プロフェッ
ショナル
ギャンブラー
さあ
今度は
いくら
かける？
ノー
マネー
ちぇっ
もう金が
ないのか！
アメリカの
農協も
しみったれて
いるな…

しかし
こんなドル
もっていても
なんの役にも
たたん
バサ
よし！
かえして
やるから
もう一度
勝負
しよう
サンキュー
ベリー
マッチ
む…
なんだ
拳銃か？
ポリス
タイプ
ハンド
ガン

これは日本の
ニューナンブM60
という名銃だ
日本人むきに
つくられている
ベリー
ナイス
そうか
おまえたち
銃の本場の
アメリカ人
だったな
わしは
カメアリ人だが
ガンプレイは
とくいだぞ
ひろうしてやる

0・009秒
アラン・ラッド
まっ青!
ドギューーン
ドギューーン
すかさず
ヤッキョウ
を
とりだす
バラバラ
ローダーで
すばやく
装てん!
チャ
間ぱついれず
第2弾を
ぶっぱなし!
ガガーーン
ガガーーン
つづいて
第3弾を
装てん!
チャッ
すばやく
全弾を
2秒で
ぶっぱなす
すかさず
第4弾を
装てん!
ズギューーン
ズギューーン
警視庁移動交番

あっという間に20発全部うっちまった！これからがいい所なのにちぇっ

ようし派出所へいってタマとってくるガンプレイのつづきだ！
ユーウンテンデキルノ？

あたりまえよ別名サーキットの犬とよばれている！

オーノークレイジー
はははなあにあいきょうあいきょう

2・3回ぶつけてるうちに少しずつ車と息があってくるんだ
ヘルプ！タスケテー

★週刊少年ジャンプ1977年47号

両さん
ありがとう
の巻

亀有公園前派出所

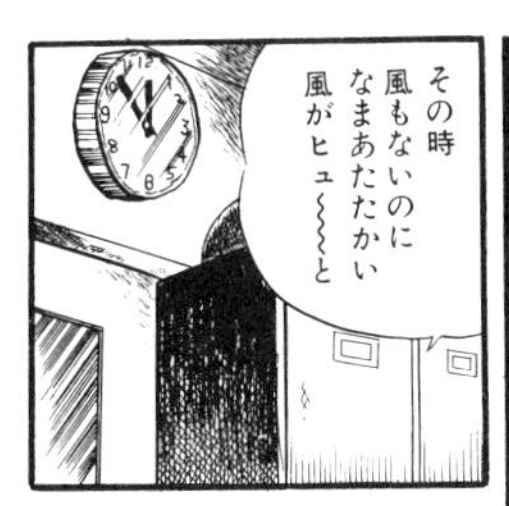
その時
風もないのに
なまあたたかい
風がヒュ〜〜〜と

すると
だれかが
うしろで
よぶ声が
きこえてくる

圭一さ〜〜ん
圭一さ〜〜〜ん
女の声で
たしかに
よんでいる
先輩
その辺で
もう
いいです
そして…
圭一が
ふっと
ふりむいて
みると…
さ…
さて
テレビでも
みよう…

おや？
中川のうしろに
白い着物を
きた女の人が
たってるぞ！
ぎゃあ
ーっ!!

わっははは みた? 今の おどろきかた!! わはははは
まったく 人が悪いな 両さんは! よしなよ
そんなに幽霊を からかうと 今にバチが あたります からね!
ばかばかしい 幽霊やオバケ なんてもの この世にいる わけないだろう

両さんは 信じて いないのか い!?
あたりまえじゃ ねえか! ガキじゃ あるまいし いちいち おどろいて いられるか! 江戸っ子だ!

そういえば この所 署で みょうなことが おきてる らしいよ
夜中に道場から 竹刀の音がして いってみると だれひとり いないとか…
あほくさ! うそっぱちだ そんなもン

本当だよ
ぼくの友人も
ちゃんと
きいたと
いってたし…
ビクビク
してるからだ
そんな ない
物がみえたり
きこえたり
するのは！

そういえば
香取神社で
幽霊が
でるとか…
まったく
うちの署は
こんなおく病
者ばかり
あつまり
やがって！

で
でた！
幽霊
だあっ
ダッ

でたんですよ
香取神社で
例の幽霊が
!!
おちつけ
ばか！

ゆっくり話せ
何が
どうしたと
いうんだ
じつは
さっき
香取神社へ
いったんです

町内中で
あの神社には
幽霊がでるよ
うわさしてます
からね
ぜひ この目で
みてやろうと
このごろ
すごい
評判だから
なあ

そしたら
本当に
でたんですよ
幽霊が！
何かの
みまちがい
じゃないか!?

本当ですよ
白い着物を
きて　こっちを
じっとみてたん
ですよ！
まだいるかも
しれない！
きてください
いっしょに！

それじゃ
中川！
おまえいって
こい！
えっ
少し度胸
つけてこい！
いい機会だ
いけ！
本当に
ぼくが
いくんです
か!?

もしいたと
したら　おまえの
得意な銃で
うてば
いいじゃない
か！
何かあったら
このSWで
連絡しろ
やだなあ
もう

まったく
若いくせに
おく病な
男だ！
だれだって
幽霊は
にが手だよ

おや？
寺井の
うしろに
白い着物を
きた女の人
が……
ぎゃあ

うわっ
たすけて
くれーっ
はははは
じょうだん
じょうだん
ヒュウウウウウウ…
外まで
にげやがって
おく病者め
それでも
警察官か！
まったく
………
………

なま
あたたかい
風がでて
きたな…
ピュウウウ
まあ
すずしくて
いいがな
………
ゴ〜〜〜ン
おい寺井
でてこいよ
おい！

ど
どこまで
にげやがっ
たんだ
あいつ！
本官ひとり
になるじゃ
ないか…
ははは
なんていう
かな……
その……
つまり…
ふんいき
が……
………
いいなあ

両さん……
ギャ！
ぎゃああん！
ドキ

きさま 人をおどかすんじゃねえ！ ばかやろう！
いて！ どうしたっていうんだ

ここですよ この中でみたんです 幽霊を！
香取神社

なんかいや〜〜な感じだな なんというか……
もう少し奥ですよ 注意してみてください

じゃ
むこうから
まわって
きます
よし
わかった
ぼくは
こっちへ
いく

まいったな
夜勤は
これだから
いやだよ!

うしろに
女の姿が
すーっと
うわっ
ドキ

中川〜〜〜
応答せよ〜〜
様子どうだ〜
どうぞ〜
ちぇっ
はなれて
いても
おどかすん
だからな

今の所
異常は
ありませんよ
以上!

コト…
ん!?
もうまわって
きたのかい
……?

こっちは
まだ……
……
!!

第1巻
発売中
うわ
ああっ!!

ギ~
ピー
ピー
中川
どうした
中川!

大変だ!
何か
あったんじゃ
ないか!
あいつめっ
わしを
おどかしやがって
こいつっ!

ちょっと
心配だから
みてこよう
むっ
むこうから
くるの中川じゃ
ないか!

た
たいへんだ!
で でた~!
どう
したんだ!?
おちつけ!

なに!? 幽霊があらわれただと!

本物ですよ目の前でみたんだから!

もう 死ぬかと思いましたよ ふりむいたらすぐ うしろにたっているんですからね!
やはりうわさは本物だったらしいな…

両さん やはりみんなでもう一度いってみよう
なんでオバケをつかまえに警官がいくんだ? やだ!

いったいどんな幽霊だ!?
やはり白い着物をきた女の人ですくらくてよくわからなかったけど……

若尾文子ににてたかな いや…竹下景子に……
ピク

しかし……仕事はきちんとせんとなあ いこうかみなさん
いやだな こわいな
あれだものなあ

ふう
まいった
なあ！

せっかく
いいかくれが
だと思って
たのに……

神社なら
サツにみつからず
おまけに幽霊の
うわさをたてりゃ
人もこないだろう
と安心してたの
だが……
さっきのは
お巡りだったな
くそ！ うらめに
でてしまったか

こりゃ早い所
場所を
かえたほうが
よさそうだ
ん!?

あっ
今度は
お巡りを
たくさんつれて
きやがった！

さっきのじゃ
まだこりない
つもりだな
よーし
今度こそ
みてろよ!

どの
あたりだ?
中川…?

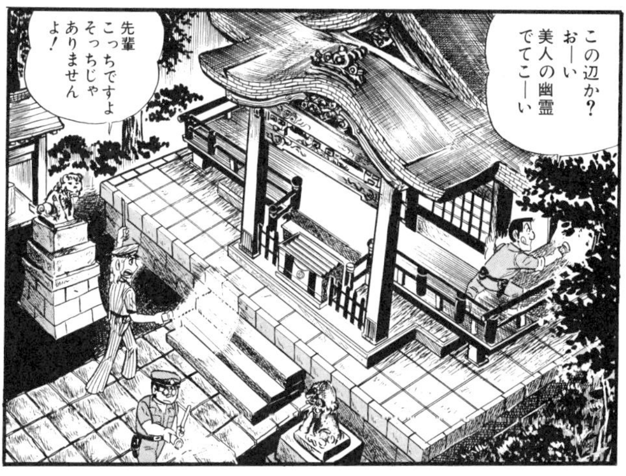
この辺か?
おーい
美人の幽霊
でてこーい
先輩
こっちですよ
そっちじゃ
ありません
よ!

たしか
このあたり
だと思った
けどな……
いないじゃ
ないか
せっかく
きたのに

いや
かならず
あらわれると
思い………

ん
どうか
したか?

先輩の
うしろに
人だま
が!?
なに!?

早く
にげま
しょう
まて!
あわてる
な!

妖怪変化
め!
これでも
くらえっ!
ドドギュッ
ドドギュッ

人だまが
ふきとん
だ!?
ざまあ
みやがれ
おそれ
いったか
この!

せっかく
つくったのに
全然ききめ
なしだ!
無神経め!

しかし　銃が
幽霊にも
きくとは
おもわな
かったな
この世で
何よりも強い
のだからな
あの世でも
強いのだ
ははは

ようし
それなら
例の幽霊で
おっぱらって
やる！
あれ？

おかしいな
今　ここに
もってきた
のに……
なくなる
はずは
ないのだが

しかたない
このさい
このお面で
がまんしよう
！
ゴリラの
面か……
幽霊とは
無関係だな

竹下景子に
にた幽霊
ちっともでて
こんじゃ
ないか！
今夜は
このあたりで
ひきあげ
ましょうよ

うわあっ

寺井の
声だ！
でたなあ！

中川!
おまえの
いうことと
だいぶ
ちがうじゃ
ないか!
おかしいな!
そんなはず
は………

ほら
あそこに
あった物
ですよ
地震などで
くずれたん
でしょ

元にもどし
ておこう
よいしょ！
つけ物石
がわりに
ちょうどいい
がな！

もう
帰り
ましょうよ
先輩！
ポン

ん…
なんだ
この手は…

うわっ
でた
ーーっ!!
中川
うて！
うて！

チャッ

ズガ
うぎゃ
あーっ

まてー
こいつ！

幽霊にしちゃ
うぎゃあ
なんて……
どうも
おかしい
なあ？
ん！
これは？

中川 最近は
幽霊もクツを
はくように
なったのか？
あーっ
さては
あの幽霊！

なに!?
ニセモノ
だと！
ニセと
わかれば
ようしゃ
しないぞ

ちくしょう
とうとう
バレて
しまったか
!?

おっ
こんな所に
衣装が
あったのか

あれ？
なにか……
やわらかい
ような…
!!

ぎゃあああーっ!!
いやあ お巡りさんって たよりになるなあ ほんと
この中だな!

でたあ 幽霊だ! あの中に!
なに!?

だれもいないじゃないか!? ん……
たしか今 でたんだけどな…

なんだ!? ここにある品物は? おまえの物か?
は… いや そのなんというか…

だいいちこんな夜中なんでここにいるんだ?
へんな服なんかきていておかしいなあ

それじゃ わたくしは これで…

ちょっとまて どうも 不審な所が 多すぎる
ガバ
署に きてもらった ほうがいい ですね!

中川と いっしょに 署へいって くるよ
じゃあ 先に帰って いるからな

ちぇっ とんだ おばけ 騒動だ!

気分 なおしに テレビでも みるかな

あの……

はっ!?
さきほどは どうも…… おせわさま でした……

おっ! こんな 夜中に 女が……
いやあ なんの とんでも ない!

さきほどって なんのことだか わからない けど…まあ いいや!
まあ中へ どうぞ! つめたい ムギ茶でも………

あれ? もう お帰りで………

幽霊の 正体が ドロボウ だったとは…
あの 神社を アジトに してたの ですね

おい 今の 美人 だったろ
え!? 今のって だれのこと
!?

すれちがっ たろ? あれ…
何いって いるんだ 両さん

お礼をいいにきたんだよ
白い服の美人で……
おかしいな
まてよ!
お礼をいいになんて……
まさかさっきの墓石の……

先輩!
幽霊ですよ
本物の幽霊が先輩をたずねてやってきたんですよ
ゴ～ン

そ そんなじょじょうだんをまた………
だってぼくらには何もみえませんでしたよ!

おまえ…そんな…幽霊がきたなんてまさか…

う～～ん
あ 先輩!

やはり幽霊なんているはずないよなあ中川
そうですかね?
おかげさまで半年ぶりに元どおりになりました
顔ににあわず やさしい方ですね
これからは 時どきあそびにいきますから…
霊界の圭子より

★週刊少年ジャンプ1977年35号

身も心も軽く!?の巻
火の用心
指名手配
Nobu Screen

それじゃ両さんあとはたのんだよ
ああまかせておけ!
ブォオーッ
今日から夏服で楽になったなあ両津!
まったくだ行動しやすくなったたな
なかなかいいフットワークだなあ
なんのこれしき!ほんの体ならしよ!
シャッ
なんかこうあばれたいふんいきだな!
ビクッ
ビクッ

よし！
地域住民にも
ぜひみせて
やろう！
ビゾゾゾ
みよ
この軽快な
体の動き！
それ
シュッ！
シュッ！
ワンツー
ワンツー
ははは
みんな
注目してる
ぞ！
必殺
熊殺しの
鉄拳！
くあはは
なんの！
これしき!!
じ～～～～ん
つ………
ぐぐ…
ぐ……

お次は18番のガンプレイサッ！
チャッ
犯人にむかって…!!
うわっ
はははきまったきまった
クル
今度はこっちにむけて…サッ！
ピタッ
ぎゃっ
やはり拳銃が一番好評のようだな反響がある……
夏の交通安全週間
女性のアシスタント募集中 美人にかぎる
この手のすばやさはジュリアーノ・ジェンマまっ青！
クル
クル
クル
ん…☆

むにゃ
むにゃ
……
ズギューッ
ぎゃっ
ああん！
そこにとんでいったのか……みつかってよかった！
おどかさないでくださいよ!!昼寝してたのにもう！
ん？何か わしにいったか？
い いえ べつに 何も！

公園内で寝てちゃいかんといっただろうが!
そんなこといったってほかに寝る所ないんだから仕方ないでしょ
しかし おまえは冬も夏も着るものに変化ないな西郷どんか?
おおきなおせわですよ夏冬兼用でどこが悪いんですか!? まったく
そうつっかかるな寝おきが悪いなおまえは!
いきなりたたきおこされりゃだれだって気分よくないですよ
しかしこんな暑いのにその服じゃ…ちょっとこい
えっ!? いったい何するんですか!?
戸塚ハサミをもってきてくれんか
チョキッ
あっ!?
えっハサミ?
ひどい!!
人の服だと思って!
ジョキ
ジョキ

いいデザインだろう 名づけて"夏の日の変態!"
うむ すずしそうでなかなかいい!
昼間はいいけど夜はどうすんです!? まだひえるんですよ
うーむ そこまで考えていなかったな
このあまりぎれを体中にはりつけたらどうだ?
わたしはミノ虫じゃないんですからね!

そうやって人を笑い物にしてりゃいいんだ!!
おい!

いててて あっ フータローだ?
お 中川 おそかったじゃないか

みんなして ばかに しやがって もう!
どうか したんです か? 何があったん です?
いやあ フータローの コスチュームを 夏のよそおいに かえて やったんだ!
フータロー 風邪を ひかん ようにな
ちぇっ 自分で やった くせに!
いやあ いい運動に なったよ ほんと
天気も いいし パトロール でもしてくる かな……
両さん!

おっ洋子ちゃんか!!

どうだ高校生活はもうなれたか?
うんまあね
あら?お巡りさんも衣がえするのね!?
ははは しらなかったのか!?

軽装になるんだ!犯人などをとっつかまえる時便利だからな
へーずいぶんラフなスタイルね

どうだ?派出所でお茶でものんでいかんか!?
ええでも…
お友だちもいるし……お仕事のじゃまになるし…
えんりょすんな!どうせ仕事なんかいいかげんにやってるんだ!

派出所の中って
初めて
みるけど
ずいぶん
ごちゃごちゃ
してるのね
まあな！
男ばかりで
むさくるしい
所だが……
まあ ゆっくり
してけや
ゴミ入

おい！
そこの一番
むさくるしい
中川！
ラムネでも
買ってこい！
えっ
ぼくが？
いいですよ
お金は？
机の
ひきだしに
はいっとる
だろう
それを
使え！

え？ だって
これは交通費で
人に貸しだす
お金じゃ…？
いいから！
わしが
許可すると
いうんだ
えんりょせず
使うんだ！
先輩の
近くにお金
おいて
おけない
なあ……
みんな
自分の物に
してしまう
からなあ

ねえ
お巡りさん
これは
なーに?
ラジオ?
んー?
それか…
ちがう
ちがう

外にスピーカー
がぶらさがって
いるんだ
こうして…
ふーん
それから
………
おもてに
なまいきな
車が走ってると
するだろ
そうしたら…
この
マイク
でな…

このやろう!
てめえなんざ
その車にのるのは
10年はええ!

わははは
おもしれえ
だろう
なっ!
これやると
気分が
いいんだ!
まったく
にぎやか
だな!

歌も
うたえるん
だぞ!
も-し
も-し
ベンチで
ささやく
おふたり
さんと…
先輩
みっともない
から
やめて
くださいよ

ほうって
おいたら
何を
しでかすか
わからん
なあ!

さあ みんな
えんりょせず
のんでくれ
!!
両さん
どうも
ありがとう
どうも
人の金だと
思って……

この所
姿みせない
から
おばあちゃん
心配してた
わよ

そうかぁ
いやあ
本官も
このバカどもの
めんどうを
みんと
いかんしな

上司たるもの
どんな無能な
部下でも
責任が
あるからなあ
いやあ つらい
つらい!
ちぇっ
えらそう
なこと
いってるよ

おもてに
おいてある
カウンタック
いったい
だれの?
ん?
あれは
ぼくの
だよ

わー すごい
あの車
日本に数台
しかないいん
でしょ?
ははは
安かった
からね
色ちがいで
3台まとめて
買ったんだ

カーマニアでね
コレクションも
してるんだ
スーパーカーも
うちの庭に
ゴロゴロ
あるよ
へぇ
なん台くらい
あるの?

台数ね……?
この前1,500台まで
かぞえたんだが
あまり多くて
めんどうに
なって……
わからないいな
すごい
数も
わからない
ほどだって

よく近所の小学生が
カメラをもって
写しにくるんだが
うちの庭は広いから
毎日数人
迷子になるんだ
ぼくも
小さいころは
しょっちゅう
迷子になったよ

だから 先週から
道案内のガードマンを
20人ほどやとってね
ようやく迷子が
少なくなったよ
道案内
だって…
きいた?

そんな広い所が
あってたまるか!
わしらの寮など
5秒も走ったら
すぐつきあたって
しまうぞ…
本当ですよ
今日 おくれたの
だって 庭で
迷ってしまって…

中川!
いくら
女子高生の
前だからって
少しオーバー
だぞ!

わかった
わかった
口では
なんとでも
いえる
からな……
なんなら
今度
うちにきて
くださいよ
本当だから
きみたちも
よかったら
家にきたまえ
非番の時は
いるからね
はい!
どうも
ありがとう
それじゃ 両さん
おそくなると
おばあちゃんが
心配するから
もう帰るわ
もっと
ゆっくり
していけよ
トランプも
あるぞ!
また 学校の
帰りにでも
よるわ
じゃあね
そうか!
バーサンに
よろしくな
中川さん
どうも
ごちそう
さま!
気を
つけてね
いい子
ですねえ
みんな
明るくて…
早く
婦警になって
うちの署に
卒配すりゃ
いいがな…
洋子ちゃん
婦警を
志望してるん
ですか?
そうだ!
ぜったいに
婦警に
してやる!

ちぇっ！まるで自分の娘みたいなこといってるよ

今日ははたらきすぎたから少し昼寝でもするか……
ん!?

まったくこんなにちらかしやがってねる気もなくなるよ！
整理整頓

おーいなか‥‥
あっ
そうじ当番
月 小林
火 両津
水 戸塚
木 中川
金 寺井

くそ！今日はわしがそうじ当番か

あんなのきめなきゃよかったな！

フータローは仕事がなくてうらやましいよ！
そうだ

ちぇっ
何も
たべ物が
ないよ
世の中
不景気
なんだな
ゴン
ゴッ

フーちゃん
どう？
元気に
やっとる！
ダンナか…
もうダンナと
あそんでる
ヒマないですよ

フーちゃん
フーちゃん

今日の
たべる分を
みつけなきゃ
うえ死に
ですからね
そうか！
おまえたちは
社会の景気で
もろに被害を
うけるから
なあ………

それじゃ
どうだ
バイトを
やらんか？
報酬は
カップ
うどんだ！

そりゃあ
ねがっても
ない……
どんな
仕事で？
派出所の
へやの
そうじだ

そうじね…
あまり
しゅみじゃ
ないなあ…
タマゴを
ひとつ
つけよう！

そうですか
じゃあ
やります
よし！
きまった

きれいに
たのむぞ
フーちゃん!
小宮やす子のぼっ!
なに
フータローに
そうじを
まかせた?
そうだ
頭いい
だろ!
へい!
ラーメンを
よろしく!
フータローも
メシに
ありつけるし
わしも助かる
お互いに
ニコニコよ!
し
しかし
なあ…

ラムちゃん
うどん

ダンナ
毛布まで
どうも
すみませんね
ひひ
また
こいよ
バイト
さがして
おいてやる

わしらも
テレビでも
みながら
おやつを
たべよう
ちゃんと
そうじ
したのかな
あいつ?
あたり前よ
あれで
ギリがたい
男なんだ
あいつは…

ほらみてみろ!
ほうほんとだ!
あいつとは長いつきあいだからな!
ポリポリ
それにしても両津……

なにか…こうむずがゆくないか!?
ポリ
ぼくもそう思ってたんです
ポリ
そういえばあいつ!
ポリ
ポリ
フロは28円の時はいったきりといってたな………
ポリ

えーっそれじゃノミが!
じょうだんじゃないぞ!
いや本当にじょうだんじゃないよ

キキッ
部長 今日から 夏服で 軽快ですなぁ
いやあ まったくだ はははは
む? あいつらは どこだ…
あっ
あら!? 部長—— どうも暑い所 おつとめ ごくろう さん!!
まいった なあ こりゃ!
ポリ
ポリ
ポリ
ポリ
ポリ
ポリ
こ…… この連中だけ 9月まで セーター きせて勤務に つかせろ! いいな!!

★週刊少年ジャンプ1977年27号

恋のカウンタックの巻

恋のカウンタックの巻
内線
10月
指名手配
毎月第二金曜日は
受令機セレコールテストです
火の用心
持出禁止
countach
Lamborghini
countach

やはり この制服のほうが 警察官らしいですね……
まったく そうだな 中川…
しかし 両津は なに着ても 警察官に みえんな
うるせえなあ だまれ!

おまえだって 犯人と ならんだら どっちが 犯人だか わからんぞ
なんだと!

ま まあ そのへんにして パトロールにでも いきましょう…ね!

もう すっかり 秋ですね 先輩……
秋の交通安全

それが どうした! 秋になったのは わしの せいじゃないぞ!

まったく 朝っぱらから ハラのたつ… ん?

あそこにいるの洋子ちゃんじゃないのか……？
えっ!?
本当だひとりでなにしているのかな
派出所にくりゃいいのに
よし！よんできてやるか！

あっ両さん洋子をみかけなかったかい？
あっバーサンじゃないか？

洋子ちゃんなら公園にいるじゃないほら！
あら…あんな所に！

おーい洋子……
ちょっとまっとくれじつはわけありなんだよ

洋子ちゃんが失恋!?
まさか? まだ高校1年だろ……
先輩のころと時代がちがうんです時代が!

きさまっ人を年よりにしやがって同じ昭和生まれだぞ!
この所すっかり元気がなくてね洋子…
食事もあまりとらずに部屋にとじこもっていたり……
そいつあ心配だなあ…

そうだ! 今日一日ドライブにでもいきましょう洋子ちゃんもつれてみんなで!
そうだないっちょ元気づけてやるか!
遊園地などでたのしくあそべば失恋のことなどわすれてしまいますよ
そうしてくれるとたすかるね

おばあちゃん
まかしといて!
今日一日
洋子ちゃんを
かりますよ

先輩!
けっして
失恋のことを
思いださせる
ようなことを
いっちゃ
だめですよ!
なるべく
たのしい話題に
してください
わかっとる
心配する
な!

おや?
そこに
いるのは
洋子ちゃん
じゃないか
あっ
両さん!?

なにしてる
のかなあ…
ひとり
ぼっちで…
……
べつに
……

べ べつに…
そうかあ
べつにね!
こまったな
こりゃ…

たのしい話題
ですよ!
自然に
ふるまって
ください
よ
よし!
わかった
わかった

洋子ちゃん
秋だねえ…
この分だと
次は冬が
くるねえ
冬のあとは
春がきて
その次は
夏だねえ
さらに秋が
しつこくきて
そのあと…

わ 話題をかえようか……
今度の晩秋特別ねハーバーライトが本命なんだけどね8ワクのタマノキングも強力でね…しってる?

ハーバーライトは虫歯がでてねカイバのくいが悪くなって体調をくずしちまってねまずダメだねそれにハンディが60じゃきついよ
やはりタマノキングマタノチカラこのあたりがデキがよくてね……

先輩! かわりましょうどうも 先輩は話題が片よっていてだめです
そ そうか… じゃあかわるか

洋子ちゃんドライブにいかないかい?
え……

せっかくの日曜日だしカウンタックに前からのりたいといってたじゃないか!?
先輩とみんなで映画でもみにいこうよ…ねたのしいよきっと!
うれしいけれど…今日はえんりょするわ…

ウ～

ほら 犬もいっしょにきてほしいといってるよ
いこうよ!

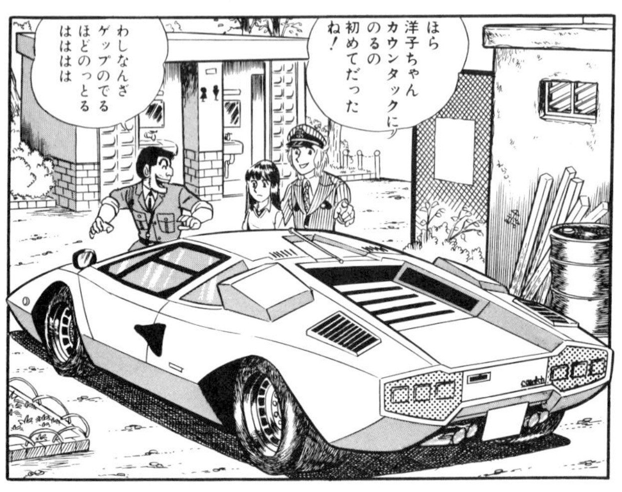
ほら
洋子ちゃん
カウンタックに
のるの
初めてだった
ね!
わしなんざ
ゲップのでる
ほどのっとる
はははは

じゃあ 先輩
シート
ふたつしか
ありませんから
ここへはいって
いてください
ば
ばかもの
トランク
じゃ
あるまいし

それ以外は
このボンネット
しかないけど
ここは暑いと
思うけど
なあ……
こいつ
そんな所
はいれると
思ってるの
かっ!

それじゃ
バケット
シートの
すき間に
でも
もぐり
こんで
ください
人を
ゴキブリと
いっしょに
しやがって
くそ!

それでは
出発
しましょう

ドヴォオオオオ

すごいわね
まるで
シートに
おさえつけ
られてる
みたいね

高速道路に
いけばもっと
だせるよ
よかったら
いくかい？
そう
ねえ…

先輩
たのしいですね
歌なんか
どうです
ひとつ……
ようし
それじゃ
ひとつ
やるかな

ギギギッ

ど どうした人でもはねたのか!?
突然大声でみょうな歌うたわないでくださいよ

ブロロロロ
そ そうかじゃあしずかな岩手県の歌を!

わかれるこ〜とは〜つらい〜け〜ど〜

しかたーがないんだきみのォた〜め〜
先輩!

せっかくわすれかけてたのに……
……

このあたりは映画街だな…
テアトル金座
15日より大ロードショウ
史上最低の小作戦
銀座 西映
テアトル金座

どうです
みんなで
映画でも
みましょうよ
そうだな
えーと
なにが
いいかな
これがいい
これを
みよう！
えっ
…!?

東作映画
㊙
色情レポートシリーズ
悶絶夜這い男!!
後家ころがし
カラー作品
監督・
埼玉の変人
なんか
ものすごい
タイトルだな
次週予告
鳴呼団地妻
乱れ壺
監督・・永井先生
出演
ジャンボ大瀬
ストロング内田
アグネス秋本
東竹
火星座

大ロードショー

洋子ちゃんが
いっしょ
なんですからね
わかって
いるんですか
わしは
これが
いいと
思うがな

やはり
女の子だと
ラブロマンス
恋愛物語
などが……
あっ！

………
………
このドジ！
人のこと
いえるか
バカ
いてっ
パカ

もう
映画は
やめだ！
メシにしよう
メシに！

おこのみ食堂
Coca Cola
エンヤ・コーラ
1階 中華
2階 和食
3階 洋食
1階中華
さあ洋子ちゃん自分の好きな物えらんで…

わたしあまり食欲ないから…
だめだよ若いんだからいっぱいたべなきゃ

先輩は年だから水だけのんでたほうが体にいい!
差別するなこいつっ!

おまちどうさまでした

ほら洋子ちゃんみてごらん
この肉ダンゴをね…こうして

それっ
ポイ
ダッ

よし
うまいぞ!
パク

今度はふたつやってみせよう
これはむずかしいぞ!

ポイ

おみごと!
パク
パク

今度は先輩ギョーザ!
はい!
ポイ

パク
うまいうまい

こいつなにをやらせんだっ!
こらっまて!!

先輩を
おちょくる
とは
なにごとだ
きさまっ
いたた
ち ちょっと
まって
タイム！

洋子ちゃん
よろこんで
ないみたい
ですよ……
なん
だと！

それに
みてくださいよ
前のアベック
あんなそばで
いちゃついて
ますよ！
よし！
わしに
まかせろ

それでね
今度の車は
トライアンフ
にかえたんだ
まあ
また
かえたの

ドン！

やい！
なに
するんだ
いったい！

ここはメシをたべる所だベタつきたけりゃサテンへでもいけ!

うるせえないちいちあんたにいわれるすじあいはないぜ!
よその席にうつるんだよ!!

わかった!この人ふだん女にもてないからひがんでるのよ!
そうかなるほど!

そういやあこの顔じゃ女にもてるはずないよはははは

おまえらっ目ざわりだからでてけといってんだろ
失恋でキズついた女の子の前でいちゃつきやがってふざけんな!

男のくせにベタつきやがって!!

二度とオレの目の前にあらわれるな!!
くそ!お巡りめ!!
バカにしやがって!
ん!?
まだアベックがいやがったか!
全員ただちに自宅へ帰るんだ!
きゃあ
うわっ
近ごろの若いやつはヘニャヘニャしやがってくそ!
ん……どうした中川?

いっけね!

調子にのって
全部
しゃべっちまったのか…!?
まったく
もう……

……
……
……
……
……

どうも
……
ありがとう……

わたしのために……
こんなことまでしてもらって…
とても……
今日はたのしかったわ……
それに…

洋子にはすてきなボーイフレンドがふたりもいるし

あら
ごめんなさい
三人?
だったわね
ふふ……

パークランド
フラワーフェスティバル
会場入口
会場入口
ハンバーガー
コーヒー・コーラ

さあて次はどのゲームにするかな…
はい洋子ちゃんソフトクリーム
わーっありがとう

射撃コーナー
先輩洋子ちゃん元気になりましたね！

よかったよ仕事を休んできたかいあったなあ中川
ねえ今度あれにのりましょうよ

ジェットコースター
よしよしなんでものってやるはははは

ジェットコースターに…!?
わ　わし　これ昔から苦手なんだ!
平気!洋子ちゃんものってぃるんだから
ゴトッゴトン
さあ　動き始めましたよ!
やはりわしは帰ることにするよ!
もうおそいですよ!
ゴトンゴトン
いよいよですよ先輩…
ぎゃあああ
ガ!!
あ　あれ　のろう気分なおしにちょうどいい!
飛行塔
たのしかったですねえ先輩
気分がすーっとするわね

いやっほー
ビィーー

先輩もすきだなこれで10回目だよ…
両さーんいいかげんにおりてらっしゃいよ

お客はダンナひとりだからもう1時間サービスしますよ
そうか悪いな!

あんたあのダンナのおつれさんですかい
係員さん…そうだけどなにか…?

えっ機械がこわれてとまらない!?
西ドイツ製でしてね……なーに三日ほど回っていればそのうち油がきれてとまりますよ
ぼくちゃんそろそろ目が回ってきたなあ!
サクの中立入禁止

★週刊少年ジャンプ1977年43号

この顔見たら
ただ今本番中!の巻
マイティドサ
堀内丸恵
せなかあわせのランデブー
LP2月発売
太田裕美
ルビンのつぼ
湯島
成田山
弁天
お守り

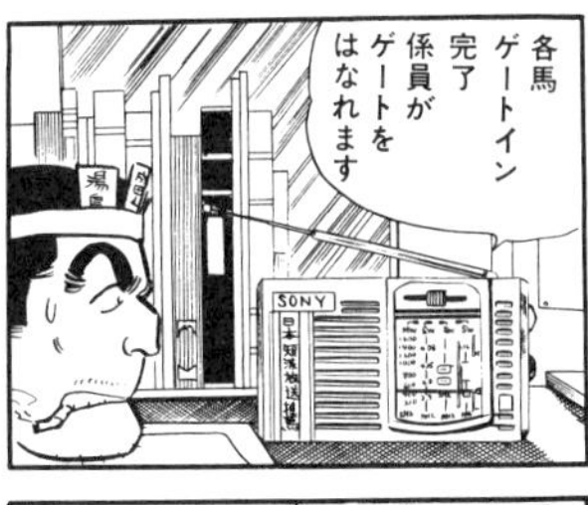
各馬
ゲートイン
完了
係員が
ゲートを
はなれます
SONY

馬年新春特別
大穴の
ロングホープが
はいれば
なんと30倍!

あの……
かとり神社に
いくには…?
……★
……☆
……!!
集英社♡
消火器

スタート!
これは　びっくり
ロングホープ
トップに
でました!

第4コーナーを
まわって直線
ロングホープ
トップ!

あの～～
かとり
神社に
いくには…

もうぜん!
ウルトラセブン
おいあげて
きました!
すごい速さ!

ホープとならびました
さあ　どっちが先か!?
あと50メートル!!

ウルトラセブン
鼻の差でゴール!!

あの〜……

き　きさまが大事な所で話しかけやがるから　ぬかれちまったじゃねえか…!!
えっ!?

道案内くらいで派出所に　くるんじゃねえ!
自分でさがせっ!
わおっ

どうしたんです先輩…?
あいつがきたおかげで運がにげちまったぞ!

何か　ゴミがあったらいっしょに燃やしますよ
その馬券燃やせ!
みるだけでハラがたつ

ただ今
まちがいが
ありました
一着は　ロング
ホープの
あやまりです
な
なんだと
!!
写真判定に
よりますと
わずかに
ロングホープが
リードして
おりました!

中川
さっきの馬券
どうした!?
ちゃんと
燃やしました
あたたかい
ですよ…
先輩も
どうです?

あの中に
当り馬券が
はいってたん
だぞ!
え!?

もう
おそい
ですよ
燃えつき
ちゃったし…
くそう~~~
あの放送局の
せいだ!
ちくしょう!

放送局に文句
いってやる
中川
車をだせ!
だせって…
どこの
放送局か
わからないと
いけませんよ

ここだ!
この
放送局
だ!
SW…
短波
放送か…

日本短波放送の本社は…えーと
いつも競馬きいてやってるのにこの〜〜〜恩しらずめ

わかりました赤坂ですアメリカ大使館の前です
よし！なぐりこみだっ早くいけっ

なんでカウンタックでこなかったんだ!?これじゃまるでドイツ軍の斥候じゃないか!!
今日にかぎってバイクだったんです！がまんしてください！
ズドドドドドドド

あったぞあそこだ！
NSB
日本短波放送

何もたもたしてるんだ早くしろっ中川！
日本短波放送
まったく世話がやけるよ！

日本短波
受付
サイン
ガラッ
エレベーター ご利用について
おう ねえちゃん ここの支配人をだしてくんな！
ぎゃあ
先輩がでるとややこしくなります
報道部の競馬中継の方います？
あれ？お巡りさんがきてるぞ…
きっと仕事をさぼって公開放送をみにきてんだよ！
やかましい頭きてる時にゴタゴタぬかすとぶち殺すぞ！
ズギューン
ダダッ
うわあ

明日の農業を語る
まてー にがさんぞー！

こ こらっ 本番中だぞ！

今日も埼玉県農協代表の春日部田吾作先生をお招きしております
ハーイ 春日部でございまスよろスく！

まず今年の稲作について お話を……
そうだべな 近ごろじゃウマッ子やウシさ 使わねえもんなあ…

もっぱら耕うん機ちゅうのを愛用しとるべな……

ロータリー式ちゅうって土を掘りおこすんだべ ぶったまげたズラ！

ジャガイモやコンニャク玉を掘り取るにゃトラクターがよォ…… ん…!?
ピタッ

ぎゃおんっ!
うぬ ちょこざいな!
〝明日の 農業を 語る〟は このへんで… ごきげんよう

くそう とりにがしたか すばしっこい こぞうめ!
放送中

今の さわぎで 迷子に なっちまった
いったい 中川のやつ どこへ いったんだ!?

お 馬だと ここで競馬の 放送やって いるんだな
放送中
馬

中川なんかにたよらずわし ひとりで文句いってやる!
馬年生まれの株主
経済と株式の歩み
録音中

あれ…? ガランとしてだれもいないじゃないか?
あ そこにいたんですか こっちです 早く!

これで全員そろいました! OKです
はい スタートします

こ こんな大ぜいで競馬中継やるのか?
まず日豪経済関係についてご意見を……

ほう これがマイクか? ちゃんとはいってるのか?

本日はくもりなり こちら警視庁3号車 応答せよ どうぞ!

えー そこの方 57年の通商協定以来 貿易量が20年間に19倍という未ぞうの伸びという事ですがどうお考えで…?

19倍がなんだってんだ！わしのは特券で30倍だぞ それがフイになったきもちがわかるか！てめえ！
そ それでは お客様 株のほうはどうです…？
カブか！この所 ついてんだよ オイチョカブ 九一 四一 親の総どりよ

あ 先輩 こんな所にいたんですか!?
あまり その姿で放送局をうろつかないでくださいよ
こっちだって おまえをさがしてたんだぞ まったく！

馬券のほうはどうした？ちゃんと話はついたか…
いちおう報道部に話しておきましたよ…
NSB
日本短波放送
TEL 586-6121
今日の賞金 33万円

ガヤ
ガヤ
オコちゃんとデート
おや!? なんだありゃ… みんなあつまっているぞ

オコちゃんとデート
ゲストでだれかきてるんじゃないですか

なるほど
太田裕美ちゃんが
ゲストで
いるんですよ
な　なに
本当か!?

それじゃ
わしが　ちと
あいさつ
してこよう
あっ
先輩!

こ　こりゃ
どうも
おひさし
ぶりで!
バタッ

去年の
コンサートの
警備以来
ですな
はははは

裕美ちゃん
あの
お巡りさん
しってる
の…?
いいえ
おぼえて
ないわ!

まったく
派出所を
カラにして
あいつら
どこへいった
んだ!?

ぶ 部長
両さんに
似た声が…
このラジオ
から……
な…
なんだ
とっ!?

こらっ
生放送中
だから でて
くれなきゃ
こまるよ
うるせえな
いったい
だれだい
あんた…?

私は 裕美の
マネージャーで
しる人ぞしる
子連れ狼の
松田という
ものだ!
ちぇっ
えら
そうに!

本官にだって
マネージャーの
2 3人
ついておるわ!
ちょっとこい!
グイ

こいつが本官の
ロード
マネージャーだ
とくに
女の子に
もてて
大変でな
むふふふ
本庁には
槌田という
チーフ
マネージャ
ーも
ちゃーんと
ひかえて
おるし…
たじ…

本署には
マイホーム主義者
大原サブ
マネージャーが
いるのだ!
わははは

お巡りさんも裕美ちゃんのファンですか？

そりゃ　もう大変なもんよ！
派出所においてあるステレオで毎日レコードをきいてるからね

今度うちの署でまごころコンサートやってくんないかな…？
うちの部長もファンだしパトカーでむかえにいくから…
そ　そうねマネージャーとよく相談してから…

松田さんよろしくおねがいしまーす
そ…そうですねなんとかは・は・は

だいぶなごやかなふんいきになったところで曲をききましょ裕美ちゃんリクエストある？
それじゃ来月発売の新しいLPから……

はい！はい！リクエスト!!
春日八郎の赤いランプの終列車！

あれ？いけなかったかな？
じゃお巡りさんのほうから先にききましょうおききください
パチ

おかしいな
全ぜんきこえてこないぞ!
耳が変になったかな…
ガラスのむこうできこえるのところでお巡りさん…
仕事はいいの?
なーに 2・3日休んだってどーって事ないよ
うちの署はフランクだから
先輩!!
そろそろもどらないとまずいですよ
派出所もカラッポだし……
ちぇっ
せっかくいい所なのに!
さあ早くでましょう
ちょちょっと最後にひとこと!
松田…よろしくおねがいしまーす
ピタ
は はい
ぜ ぜひスケジュール調整を!

あの…裕美ちゃん今度3月に玉川で警備訓練やるんだけど
よかったらさ…
応援しにきてね
LP 絶対買うから!
そ そうね
マネージャーとよく相談してから……

それじゃみなさんお達者で!

ふう
まったく
おそろしい
お巡りだ!
つかれ
たわ!
松田さん
だいじょ
うぶ…?

ちょっとまて
中川!
なん
ですか
!?

ここで
歌 うたう
らしいぞ
ほら!
今日の公開録音
集まれ!!
ヤング パーティー
3時 第2スタジオ
ミニ・コンサート太田裕美
日本短波放送

せっかく
きたんだから
みて帰ろう
な…!
もう
しりま
せんからね

ようやく
一本おえたね
おつかれさま!
次も
ラジオの
お仕事でしょ
ここで……

次は 3時から
公開放送が
2スタで
あるんだが…
えーと…

STUDIO 2
あった
ここだっ
ここ!

中川！早くこいまだだれもきとらんぞ！
A
そこはコントロールセンターですよ！
STUDIO 2
どうりで機械が多いと思ったよ
このスタジオですよ…

さあ　今日もたのしく始めましょうね　司会は　わたし　オコちゃん事小野寺駕子です　どうぞよろしく
集まれ　日本短波放送　CBSソニー・協賛　ヤング☆パーティ
今日はヤングのアイドル太田裕美ちゃんのミニコンサートですよ
EXIT

よ　よし　中川　この金で外いって花たばと色紙かってくるんだ　いそいでな！
花たば？先輩があげるんですか……？
がんばってうたうんだよ！
はい

菊の花なんか買ってきやがってお彼岸に先祖の墓まいりいくんじゃねえんだぞ！
それしかなかったんですよ
EXIT

まあいい問題は誠意だからなおまえ そこでまってろ！
本当にわたすんですか？

はあーい！太田裕美ちゃんですでは さっそく今年の抱負をきかせてくれる？
そうですね今年も数多くのコンサート中心に日本中のファンのみなさまに…
ひろみちゃん
ワー
ワー

ドカ

あの…これつまらんもんですけどどうぞ！
あなたさっきの…!?
ドサ

それからサインをもらいたいんですけど…50枚！
これを近所の中学生にうりつけ…いやめぐまれない児童にはげましのプレゼントをと思い……

こら！お巡りひっこめ！裕美ちゃんがみえないぞ
なに！
そうだ
ワー
ワー
ワー

しずかにしねえと全員　公務執行妨害でしょっぴくぞ!!
ひっこめ
じゃまだー
やれるもんならやってみろ
ひっこめポリ公!
今ポリ公といったやつはどいつだ!?
ダッ
一歩前へでろっ!前へ!!
うわあ
ぎゃあ
きさまか!?
グイ
ガン
子どもをいじめるな!
このやろう下手にでりゃつけあがりやがって!
ボカ
バキ
グイ
やっちゃえやっちゃえ
やはりつれてくるんじゃなかった…
ボカ
ドカ
ボカ
イテ

NSB
日本短波放送
日本短波放送
ブオオオオ
両津め
みつけたら
ただじゃ
すまんぞっ
あっ
お巡りさん
6階で
今
大さわぎ
が…!
なんだとっ
警視庁

さあ
それじゃ
裕美ちゃんと
本官の
夢のデュエット
炭坑節をうたいます!
ヤン
かまわん
わしが
許すから
両津を
ひと思いに
射殺しろ!
EXIT

★週刊少年ジャンプ1978年５・６合併号

鬼は内…!?の巻

マルエー
おもちゃ
COFFEE 園
堀内茶
洋風料理
かぜに 珍 ルルゴールデン
中華 サカエ
COFFEE 黒鳥
サカエ

くく……寒いな！これだから冬のパトロールはいやだよ
営業中
お茶 ジャンプ

がまんできんタクシーでまわろう おーいタクシー
ちょっちょっと！

いくらなんでもまずいですよ先輩！
TAXI

こんな皮コート一枚であったかいはずねえだろ警視庁はわしにカゼをひかすためにこんな物を…
わかりましたよなんとかしましょう

高級プレタポルテ
マダム・サトウ
どうですこのマフラーこれで少しはいいでしょ
これじゃ首しかあったまらんじゃないか・・
高級マフラー
ム・サトウ

体が寒いんだよコートがほしいなァコート
じゃすきなのえらんでください

超特級
スーパー毛皮
コート!!
試着室
おっ これがいい
ずいぶん
あったかそうだ
えっ
毛皮!?
どうだ
なかなか
似あうだろ
まさにピッタリ
まるで 毛皮を
着るために
生まれたような
お体つき!
最高級の
オセロットの
毛皮でして
900万円です
わかった
わかった
小切手で
いいだろ
まいったな
もう…
ロイド堀内
これなら
寒くない
毛皮って
高いのか?
いくらぐらい
するんだ
これ?
きかない
ほうが
いいですよ
腰をぬかす
から……
マダム サトウ
あーあ
そんなに
ひきずって…
もちあげて
あるいて
ください
そんなこと
いったって
寸法が
あわないん
だから
しようが
ないだろ
ズル
ズル
まあ いいよ
よごれたら
コイン
ランドリーで
きれいに
あらう
だめですよ
そんなこと
したら!
堀内ワンマンショー
堀内イン 寿司

ズル
ズル

先輩 もっと早くあるきましょうよね!
そうか…べつにいそがんでもいいのに…

ダッ

鬼はー外!鬼はー外!
バラ
バラ
あっ
いてっこのー

なんだ…今のガキ変なカッコしてたぞ
さあなんでしょうね

鬼は…あ!?

このガキ人にむかって鬼とはなんだっ

先輩
相手は
子どもだから…
きさま
とっとと
消えて
なくなれ！

そういえば
今日は
節分ですよ
いきなり
豆を
ぶつけ
やがって
ちくしょう
内田

世間では
みんな豆まき
していますね
福はーうち
オニはーそと
マッハエンタ・プライズ
水

よーし
わしらの
派出所でも
やろう！
豆まき!!
えっ
本当に!?

ちょっと
まってろ
豆かって
くる！
こういうことに
なると
すぐ行動の人に
なるな………

これだけ
あれば
たりるだろ
中川！
ピーナッツ
なんかだめ
ですよォ
ビールのつまみ
じゃあるまいし

あそこで
うってますよ
節分用の豆
といって
かってきて
ください
よし
わかった
!!
亀有支店
豆屋
おろし・バラうり可

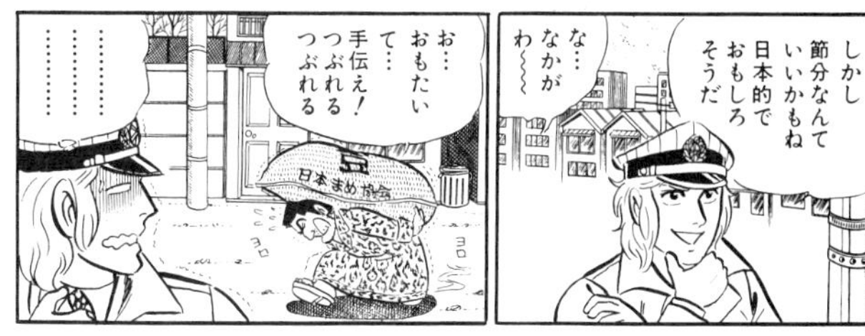
しかし
節分なんて
いいかもね
日本的で
おもしろ
そうだ
な…
なかが
わ〜〜〜
お…
おもたい
て…
手伝え!
つぶれる
つぶれる
………
………
………
ヨロ
ヨロ
豆
日本まめ

豆腐屋でも
はじめようと
いうんですか
いったい
あそこは
問屋らしい
60キロ袋しか
うらんと
ぬかし
やがった
豆

こんなに
いっぱい
どうすんです
それも
生で!
とりあえず
派出所へ
はこぶ!
豆

ははは
おもしろい
漫画だ!
福商一直線
大林よしのり
見たら110番
火の用心

なんだあ こりゃ いったい!?
みりゃ わかるだろ 豆だよ 豆!
豆

こんなに いっぱい どうすんだ 両津!
節分 やるんだよ おい 寺井 フライパン!
両さん できるの かい…?
あたぼうよ 江戸っ子に 不可能は ない!

ラン ラン ラン ふん ふん ふん!
手つき いいじゃ ないか
ひとり ぐらしが 長いからな こいつ……
パチ パチ

ほれ 手をだせ 寺井!
え 手…?
はい! これ おまえの 分……
ジュ ジュ…

ぎゃあっち
ちっち!

バカ!
直接 手に
わたすやつ
あるか!
せっかく
あげたのに
みーんな
すてやがって
こいつ!

焼いたら
ちゃんと
この中に
いれとけ
わかっ
たよ!
うるせえ
なあ…

しかし
いちいち
めんどう
くさいな
まったく

手間かけんで
直接 まいたら
どうかな…
鬼はー外!!
ぐわっ
あっ
ちっち
ち!

わははは
おもしろーい
今度は
福は内
やろっと
な……
なんだ
よ!?

そんなにやりたきゃな福は内…をやってやるよ
ば　ばか！そこは福じゃない！服だぞ!!

ぎゃん　あっちっっちちちち！
福はー内！

人の体をオモチャにしやがって！ちくしょうめ!!
ようしこれだけあればぶつけがいあるぞ！

よし！鬼をきめる番だ赤い印のをひいたやつが鬼の役だ

あれあたった!!
よし寺井が鬼だ！

はい鬼の面つけて……
まて！どうせやるなら本格的にやろう！

さあ　寺井赤鬼と青鬼どっちを望む？
ほかに黒鬼や銀鬼もあるぞ！
青ペンキ
赤ペンキ

どうして
トラ皮のパンツ
はいてこなかった
イメージが
ちがうぞ
そんなの
うってる
はず
ないよ!
ペンキ

しようが
ない……
この毛皮で
作って
やるか
あっ
消火器
持出禁止

そら
できたぞ
はいて
みろ!
物の価値を
しらぬと
いうのは
おそろしい

最後に
人参の角を
つけて……
できあがり

じゃあ 各自
豆を手に
もって!

これで用意は
できた!
えんりょなく
ぶつけてやれ!
抵抗したら
銃を使う
ように!!
じょ
じょうだん
じゃない
!!
持出禁止
火器

開始!
福はー
内!

今度は
全員
ふりかえっ
て………
豆を
めいっぱい
にぎって
………

それ!
鬼はー外!!
ひゃあ
ーーっ

ぎゃ
ああん

ま…豆が
爆発
した…!?
ふんい気を
もりあげるため
かんしゃく玉を
少しょう
まぜてある!

演出効果
ばつぐん!
それっ
鬼はー
外!
よく…
こんな
非人間的な
アイデアが
うかぶよ…

それーっ
鬼はー外
寺井はー
アホ

鬼はー 外
鬼は……
ショックで
のびち
まった
ようだ…
堀内さんのアダ名は
ロイド堀内！

じゃあ 次の
鬼をきめよう
クジを
ひけ！
まだ
つづける
のか？

あたりまえだ
豆は いっぱい
あるんだ
からな！
あっ！
くそう
オレが
鬼か！

今度は
ぶつけがいが
あるぞ
ひひひ…
うる
せえーっ
!!

そらっ
鬼はー外
鬼はー外
!!
ちょ
ちょっと
タンマ
タンマ
バン
バン

タンマも
くそも
あるか
鬼はー
…ん？
ツカ
ツカ

うわっ
ガ
ジャ
ン
がっははは
鬼を
おこらすと
こわいぞ!
くそう
やりやがっ
たな!
ようし
相手に
なって
やろうじゃ
ねえか!
もーも
たろさん
どこいくのォ
カ
チャ
これから
鬼のォ
成敗にィ!
ぎゃお
んーっ
日本一のきびだんご
日本一

おこしにィ
つけたー
きびだんごォ

ひとつー
わたしに
くださいなっ
ガ
ガ

ま まいった
おれが
悪かった！

…と
おとぎ話じゃ
鬼が
あやまって
ゆるすだ
ろう……

ところが
この桃太郎は
てってい的に
最後まで
やるっ！
ぎゃあ
たすけて
くれーっ
ダ
ダ

あっ
鬼!?
!?

どけっ
どけえ
ダダダッ
も
桃太郎
…!?

ビィーン
わっ
きゃあ

くそ!
じゃまだて
すると
きりすて
るぞ!
きゃあ
――っ

ようし!
ようやく
おいつめ
たぜ!

プァン
プァン
プァン

現代版
桃太郎の
おそろしさ
思い
しれっ!
うわっ

くそう
やじ馬が
警察を
よびやがった

桃太郎の
正体がばれては
まずい!
ここは ひとまず
身をかくそう
ふう
たすかった
………

亀有公園前派出

火の用心
どうすんです
こんなに豆
かってきちゃ
って!

この豆で
豆腐やミソ
つくれんかな
業者にうれば
いくらかに…
無理ですよ
おまけに
やいちゃっ
たし……

派出所の
みんなでくおう
ひとつぶ
たべると
300メートルの
エネルギーが
つく!
それは
グリコ
ですよ!
まったく!

アイデアマンの
両津だろ!
早くいい
方法を
考えろよ
うるせえな
今
考えている
ところだ!

糸でつないで首かざりにして近くの女学生にうりつけるか……
まてよ…銀色にぬってパチンコ玉がわりにして景品をとったほうが…うーむ

悪質なことしか考えないな…
先輩の頭の中は商社顔まけですよ!

よし! 中川 ふうとうをいっぱいもってこい!
えっ? はい!

その中に豆をつめろ ふくろの大きさによってわけておけ
まるで内職をしているようだ…

やはりこれが一番手間をかけず大量に処分できる!
産地直売
節分豆
100円(大)
50円(小)
本日限り
特売
警視庁御用達
特製認定豆!
節分用
焼きたてのまめ!!
大安売
名産 桜田印

ほう 最近の警察は赤字か……商売にも手をだしてるのか…
ちがうよオヤジさん
この販売で地域住民のあなた方のために少しでも役に立てばと思ってね……

今夜は 節分だ 家にかっていって やると 母ちゃん よろこぶよ！
そうだな どうせ かおうと 思ってた ところだ…

じゃ この 大袋ふたつ もらおう かな
へい まいど
わたし 小さいの もらうわ

お巡りさん この大袋 4つ！
へい！ おつり
ガヤ ガヤ
あいつ 商売人の 素質 あるな…
道を まちがえ たんじゃ ないかな…

キキッ
おや？ パトカーの 休けいの 時間かな

まずい！ 今日は 係長も のってるぞっ
バタッ

両津！ パトカーが きたぞっ!!
こっちは 商売で いそがしい ほうっておけ！

係長も ついて きたんだ よ！
な… なんだとっ！

なんだ
このさわぎは!?
まさか商売
してるんじゃ
ないだろな
まさか
サービスで
くばってるんで
タダです
タダ!

くそ!
うりあげが
パアに
なった
ちょっと
これみて
ください
あっ!
さっきのクジ
インチキ
だったのかっ
消火器
両津
さっきの
豆まき
もう一度
やろう
そうか
よーし
やろう

きさまらっ
全員でグルに
なりやがった
なー!!
鬼
はーっ
外!!
消火器
ペンキ

★週刊少年ジャンプ1978年８号

いかりのハーレー!の巻
STAFF
みなさん メモリは守りましょう!!
この顔見たら 110番!
みちのく
アグネス印
灯油

まったく
えらい目に
あったよ
日出島名物 いか煎餅
日出島名物 いか煎餅

でも よかった
じゃないですか
東北旅行と
九州旅行が
いっぺんに
できて!
持出禁止
ばかいえ
本人の身に
なってみろ

わしが
いない間に
大事件でも
おこらな
かったか?
両津が
わざわざ
岩手まで
いったのが
大事件だよ

そうだ
おまえたちに
みやげ物を
かってきて
やったんだ!
え?
おれたち
に…!?

信じ
られんな?
おまえがね
……
なんです?
ヒヨコの
人形じゃ
ないですか
……
ところが
ただの
人形とは
ちがうのだ
キリ キリ

こうして
ちゃんと
動くわけよ
へえー
おもしろい
ですね!
カタ
カタ

これでレースを
やるんだ!
旅館の番頭
たちと一日中
あそんで
いたからな
それじゃ
ここで
やってみま
しょうよ
カタ
カタ

よし
それじゃ
全員 会費
千円だして
!
えっ
賞金を
つけるん
ですか?

ただ走るだけじゃ
おもしろくも
おかしくもない
じゃねえか!
いいか
いくぞ!
まいった
なあ
もう!

用意
スタート
!!
カカ
カカ
タタタタタダ

わははは
ぶっちぎりで
勝った!
賞金
いただき
しかし…
ぼくたち まだ
半分くらい
しかいって
ないのに…
一番 早いのを
えらび
やがったな

それなら
もう一度
やって
みよう!
ちょっと
まった!
両津のには
ハンディを
つける!

この
早さなら
ハンディ60
くらい
つけんとな
なんの
その程度
かるく
楽勝よ!

長距離で
やろうぜ!
亀有賞大レース
3200
芝 良好
賞金三千円
全ヒヨコ
ゲートイン完了
だんだん
アホらしく
なってきた

ガシャン
きれいな
スタート
カタカタ
カタカタ
よし!
いいぞ
いけっ
トップ
トップ
くそ!
もっと
ハンデイを
つけとく
べきだった
いいぞ!
直線だ
あと600!
がんばれ!
グワッ!!
どいて
どいて
!!
ファン
ファン
な
なに!?
ズズズズズズ
わおっ
な
なんと!
HARLREY-DAVIDSON

どうも両津先輩おひさしぶりです……
なんだこりゃいったい!?

白バイですよ!ダビッドソン社に特注して 昨日日本にとどいたんです!
特別製(スペシャル)警察二輪車(ポリスバイク)です

中川が今日のってきたやつもこんなのじゃないか?
ぼくのはBMW R100RS(ベーエムベーアール アールエス)のサイドカーですよ!
ほうMG34(エムジー)もつけたのかい
凶悪犯の場合有利だろ対空用だからな

ここはらくちんでいごこちがいいな

よかったら先輩の自転車にもつけましょうか!?
バカにしやがってくそ!

なんだテレビや電話までついてるのか?
パトロール中ニュースなどがわかるでしょう便利ですよ

どうせならTV(テレビ)ゲームもつけたほうがよかったじゃないか!
冬本(ふゆもと)先輩のいうことはききながしたほうがいい…

こんな小さなタンクでなくシャワーにもつかえるようにするとかだな
ベッドもつんだり自炊もできるようにして……
まるでキャンピングカーだよ
なっ！大変参考になったろ
まあ……考えておきましょう
今日はならし運転もかねてのパトロールですからよかったらいっしょにどうぞ
そりゃいい！いこう！いこう！
中川 おまえの単車ももってこい！早く！
ハイキングにでもいく気分だからな
こうしてくらべると中川のほうはちゃっちくてきゃしゃだな
むこうは特注仕あげ(スペシャルタイプ)ですからね ぼくのは市販車(スタンダード)！
HAREY·DAVDSON.

昔 映画で
この単車が
でてきたの
しらんだろ
えっ？
まさか…
このモデルは
最近ですよ
消火器
よし！
わしが 実演
してやる
拳銃を一丁
かせ！
何を
始める
気だ？
あいつ！

ジャーン
月よりの
使者
月光仮面が
のって
いた！
月光
仮面!?
月光仮面って
BMWに
のってたん
ですか？
かんちがい
してる…
あれは
国産！

あいつは
ロードパルでも
ハーレーでも
まったく
みわけが
つかんのだ！
月光
仮面のォ
おばさんは
〜〜〜〜

ちょこざいな
悪人め！
天にかわって
成敗してくれる

あっあ！
はやての
ように
さって……
あっ
!!

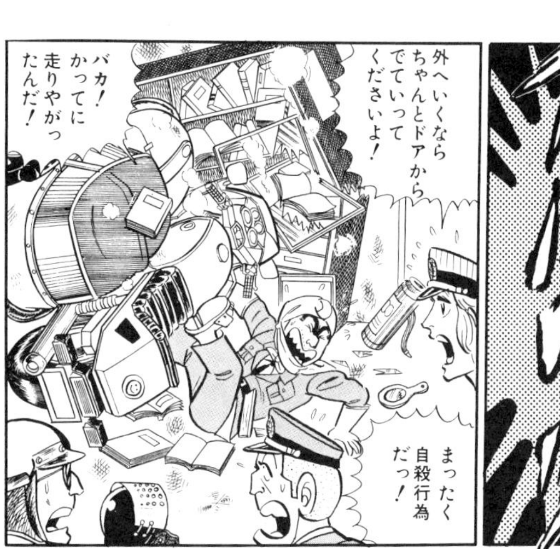
外へいくならちゃんとドアからでていってくださいよ!
バカ!かってに走りやがったんだ!
まったく自殺行為だっ!

こいつ!鉄のぶんざいで人間さまをなめやがって!
カ''
ア—ーン

うぐ…ぐぐ…くく…
うっかりバイクにのせられないな…

先輩!パトロールはどうします
もういく気しない!やめだっやめっ!

両津昼めし注文するけど何がいい?
昼めしもやめ!や!いや…めしか…そうだなえーと…

また
ダーツで
きめれば
いいだろ!
それも
パターンが
きまってきた
毎日 めしを
考えるのって
つらいな…
うーむ…
先輩! 公園の
横に しゃれた
レストランが
開店した
そうです
いってみま
せんか?
レストラン
だと……

たまには
気分が
かわって
いいじゃ
ないですか
おまえは
かるく
いうけどな
給料日だって
先だし…
じゃあ
ぼくが
ごちそう
します
から……
さあ
みなさん!
ちゃーんと
カギを
しめてね!

元祖
MAXIM'S
DE KAMEARI'S
ずいぶん
大きな
店だなあ
中川
はきものは
どこへ
おいとくんだ
はいていて
いいんですよっ

先輩
少し
おちついて
ください
うるさい
これは
武者ぶるい
だっ！

コトリ

ぎゃあーっ

あっ　どうも
物音がすると
つい反射的に
銃を　ぬいて
しまうもので

相かわらず
だなあ…
あいつは！
中川の
友人てのは
ろくなやつ
おらん！

なんだ
こりゃあ
イチゴ水
か？
食前酒
食事の前
にね！

ほう 西洋じゃ
ハイカラなこと
やっとるんだな
うむ…
いける
あま口だな
これは！

スープです
さめない
うちに
どうぞ！
スープ
!?

おい！
わしは 肉を
たのんだんだぞ
さっきから
まってるのに
全然こない
じゃないか！
オードブルが
すんでから
ですよ

オードブル
だか
ブルドッグ
だか
しらんが
まったく！
はい！
次は
エスカルゴ

エス
カルゴ…
？
なんか
怪獣
みたいな
名だな…

かんたんに
いえば……
かたつむりの
バターいため
ですよ
ブーッ

ばか！戦時中じゃあるまいし！変なものくわすな！
どうして…ちゃんとした料理ですよ

それなら先輩がこの前やき肉屋でたべた牛の舌のほうがよっぽど変ですよ
あれはタンシオといってなちゃんとしたたべ物だ！

先輩たちは昔 赤イヌやミケネコをたべたんでしょうたまにはネズミも…
あれはうちのオヤジの時代！わしはせいぜいスズメやカエルくらいだっ

こないだゴキブリなんか油がのっていてフライにするとこうばしいって…
おまえだってやき肉屋でうまいうまいとたべていたのはブタのキンタ…

あの～おそれいります……お話は もっと小さな声で…
ゲ
ゲ
オエ

先輩が悪いんですよ！
おまえが変な物たべさすからだ！

エスカルゴのどこが変なんですっ
こんなナメクジが貝ガラの中にはいったやつくえるか！

いいかげんにしろ！おまえら！
ガン
ガン
くっ
おれたちゃレストランにきてんだぞ
ゲテ物料理屋にきてんじゃねえんだぞ
わかったよ！

この店のオヤジいやな顔しやがってお客に対してなんて態度だまったく！
なんだかんだいって 結局全部のこさずたべやがったくせに！
本日のメニュー
しかし…たまには優雅でいいもんだなこれからもちょくちょくきてやろう
ぼくがいない時におねがいしますよ
おや!?

なんだあの連中おれたちのバイクいじってるぜ
むっマニアでもなさそうだな……
橋本電気

このあたりでバイクのかっぱらいが多発してるがあいつらじゃねえのか?
まちがいないコードをつないでエンジンをかける気だぜ……
ああいうやつらを生かしといちゃ世の中のためにならねえ!
やりすぎですよ!それは!
ドン
むっなんだ!?
みつかったにげろ!

公園の中ににげたぞっ!
おえ!にがすなっ
イダ天の両さんだ足じゃまけるか!
ザザ
!!あっ

うわっ
マキシムのPRしたから食事券ちょーだい！
中川！冬本！おいかけろ！
がってんまかせとけっ！
くそ！車を用意してやがったな！

まった
冬本！
わしも
のるぞ！
え！
私の運転は
少しょう
荒いですよ
だいじょう
ぶですか
中川で
なれとる
心配せず
つっぱしれっ
ドドドドド
それじゃ
えんりょ
なく！
ギャアアアアア
やつら
すぐ
そこまで
きたぜ！
ちく
しょう
!!
こう
なったら
はじき
とばして
やるっ！

おっと！
ゲアァ！
あじなマネをしやがるなこいつら！
相手になってやるぞ！
ガガーン
こら！わしがのってることもわすれるな!!
あっそうだった！

前へでたぞ！
よし！
ぶっとばしだ！
うわっ
ガツン

ガアァン
平気か冬本!
キキキ
やりやがったな!
とことんおってやる!
バオオオオ
ガシャッ
ドドドドド
いつつつ……あいつも頭にくるとみさかいつかなくなるからな!
中川のほうがまだましだ今度はこっちにのる!
そうですか…

キキ
冬本
やっと
つかまえた
ようだな
まったく
すばしっこい
連中だぜ

どうしたんだ
両津先輩は?
おいて
きたのか?
えっ!?
あっ
走行中
しらぬまに
連結が
はずれた!

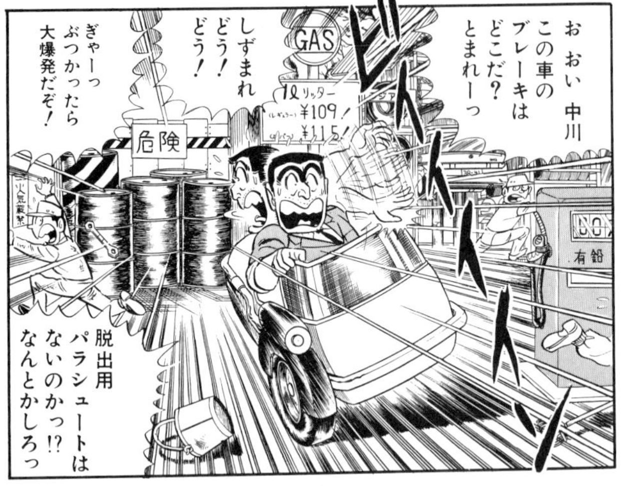
おおい 中川
この車の
ブレーキは
どこだ?
とまれーっ
ビムムムム
GAS
1ℓ リッター
¥109!
¥115!
しずまれ
どう!
どう!
危険
ぎゃーっ
ぶつかったら
大爆発だぞ!
有鉛
脱出用
パラシュートは
ないのかっ!?
なんとかしろっ

★週刊少年ジャンプ1978年12号

新作国定忠治の巻
COFFEE
Penny Lane
PENNY LANE
営業時間
AM7:00～PM9:00
営業中
ペニーレイン
ヤマクダリパン

男　命を
みすじの
糸にィ
かけてェ
三七
さいの目
くずれ
ときた
もんだ!

こらっ!
道路で
あそぶんじゃ
ねえ!
coffee
ひろみ

近ごろの
親のしつけは
なっとらんな

いてっ

COFFEE
このガキ
ほかいって
やれ!

たかがこどものあそびなのにね
ヒソ
ヒソ
近ごろのお巡りさんはこわいからねえ
親があれだからなろくなおとなにならないのも無理がねえ
火災予防月間
キキキッ
おやみんなあつまってくるぞ
ガタタ
何か事件でもあったのか?
ハムレットなんか絵になると思うんですけど……
うーむおとしよりばかりだからなァ日本の物のほうがいいんじゃないか…
日本のねえ……

そうだな
たとえば
…………

へへへ
おそく
なりました
おはよう
さんで……

たとえば
金色夜叉
とかだな…
東京に亀有

古典的な
作品のほうが
よろこばれると
思うがな
………
部長
先輩が
きてますよ

ほっとけ!
あいつがはいると
話が　よけい
まとまらなく
なる………
そう
そう!
じゃあ
金色夜叉
すすめて
いって……

ちぇっ
こう　全面的に
無視されると
いい気が
しないな……

なに
話してん
だろう
気になるな
………
火の用心

中川
ちょっと
こい!
いてっ
てて!
グイ

さっきから何話してんだ まさか わしをクビにする話じゃ……
ちがいますよっ そんな!
しばいをやるんですよ それをきめてるんです
なにっ しばいをやるだと!
おとしよりをまねいて ボランティアの人たちと協力してね
いったい何をやる気だ……
まだ きまってませんけど 金色夜叉にしようかと…
金色夜叉だと! くだらん! ナウじゃない
部長! しばいのことなら 私に まかせてください!
なに!?
中学のころ演劇部の部長をしてましたからね
本当か!?
そりゃあいい われわれはしろうとばかりだ 心強いな!
うむ しかし…

えーっ
そもそも
演劇とは
お客さん
あっての
ものである
すなわち
劇の内容が
重要で
客のいりも
だしもので
きまる…

よって
金色夜叉は
今どき古く
新鮮味に
かける！
ほかに何か
いいものが
あるというのか？

ズバリ！
国定忠治！
ピタ
えっ
時代劇？
みるのは
おとしより
だぞ………

それ！
それがいけない
老人ときめつける
ことが根本的に
まちがっている！
まわりの人が
そうだから
よけい本人たちが
老人になった
気がますます
してくる！
うっ！

それなら
ミュージカル
なんかでも
いいの
かな…？
いける！
それ！
その考え方が
大切なのだっ
発想がいいぞ
ピッ

老人だから
こどもだからと
はじめから
きめつけては
新しい物など
うまれては
こない！
もっと
テーマを
広く求めねば
ならない

国定 忠治
だって昔からの
古い話じゃ
ないか！
せまい！
じつに考え方が
せまくおろかだ！
まさに固定観念の
かたまり
マイホーム主義の
なれのはてだ…

国定 忠治こそっ
男のロマン
権力に
たちむかう
男の姿がある
そして
たち回りの
パワフルさ…
観客を
劇の中に
ひきずりこむ
パワーがある

いままでの
パターンに
とらわれず
ミュージカル風に
するもよし……
現代ヤングむけ
ドタバタに
アレンジする
もよし
たち回り
なんか
できるのか?

おっ
りゃあ
!
ビュッ
うわっ

去年
剣道大会で
優勝した
私を忘れては
こまるなあ
だれが
忠治を
やるんだ?

愚問
だね……

とりゃあ
——っ
うお
りゃあ
ヒュン
ビュッ
部長
考えように
よっては
おもしろいん
じゃないですか

私以外に
いないでしょう
があっ
とりゃあ!
ぎゃあ
——っ
バザッ

おとしよりは
時代劇など
好むんじゃ
ないですか
チャンバラ
シーンなど
けっこう
いけると
思いますよ
うむ
忠治役を
かえれば
いいかも
しれん！
というと
だれが…
きまっとる
だろうが
え………

でっ
えいっ
!!
わっ

剣道三段
にがみばしった
中年！
このわしこそ
忠治役が
ピッタシ！

どっちも
どっちだなあ
ふたりとも
主役には
むいてないよ

期間も
ないことだし
すすめて
いったほうが
いいんじゃ
ないか…
主役は
ともかく
台本だけは
かいて
おこう！

衣装や
小道具など
おねがい
します
よし！
衣装屋へ
いって
たのんで
くる！

おお かいとるか けっこう けっこう
主役の わしを なるべく かっこよく かいてくれ!
そう そう 女もぜひ だそう 水着の美人を 5・6人ばかり みつくろって…
赤城山で 宴会を やるシーンを メインに もっていこう
消火器
そして 忠治のセリフは 少なめに! おぼえるのが めんどう だからな!
いっそ ひとことで いいな…… 「赤城の山も こよいかぎり」 これだけ!
動きも少なく なるべく 楽にしばいが できるようにな
じゃ わしは 宴会用の 酒を注文 してくるから あとは まかせたぞ
ひどい! 全編通して 宴会のシーン ばかりじゃ ないか……
台本
なにっ? 両津が 忠治を やるだと
いや これは その 先輩が かってに……
亀有公会堂
第九回 ボランティア活動
たのしみ だねェ いよいよ 今日だよ
まごたちも さそって みにきま しょうかね
あいつは 山賊で かまわん いや…… 通行人で 2・3秒 だして やりゃ 十分だ!
もう メチャ クチャだ

なに!?
わしが
通行人A
だと!?

いいわすれ
ましたけど
多少　配役に
変更が
ありまして…
多少どころ
じゃない!
主役から
通行人Aに
なってるぞっ

おい!
中川
どうなって
いるんだ
!

部長が
どうしてもと
いうことで…
ここは ひとつ
上司の顔を
たててくだ
さい………
くそ!
じゃあ
ほかにもっと
ましな役
ないのか!?

そうですね
………
あった
あった!
道を教える
男Bと
いうのが…
同じような
ものじゃ
ないか!

そんなこと
ありませんよ
道を教える男
のほうが
「あっち」という
セリフが
ありますよ
もっと
ほかに
ないのかっ

もう
ほとんど役は
きまってます
からね……
のこりは
役人くらいな
ものですよ
しかたない
それで
がまんするよ
そのかわり
ひとつ……

それじゃ リハーサル いきます
忠治が 鉄火場で 相手と きりあう 場面です
よし！

でやっ
なんと！

どりゃあ
ぐわっ

ちょっと まった！
ん!?

腰が だめだな… 腰が にげている！
な なんの マネだ？ 両津！

殺陣師ですよ この劇の たち回りを すべて やるんです
なんだと！
ちょっと かして みたまえ

いいか！ よくみていろ こう… 腰を いれて だな……

でえーっ!!
いたっ!

今の腰! この腰が大切だ 相手をたたくつもりで…
本当にたたいているじゃないか!

どりゃーっ!!
ちがうちがう

ヨコにきっちゃいかん! タテにきるんだ 殺陣ってくらいだからな
もっと力をこめて相手にあたってもこの際気にせずに!
ビュッ

だあっ
いかんいかん
ヒュン

あんたにげちゃいかんよ! あたらなけりゃ!
リアルさをだすためにあたったほうがいい!
くそ〜

たあっ!
いてっ!
そうそう いいよ いい! 本番ではジュラルミンの刀を使用するからね

じつにすがすがしいははは
くそ！おぼえていろよ！

次は忠治が役人にかこまれてしまった場面です
忠治
台本

忠治は役人をバッタバッタときりたおしてくださいいきますよ！
ひひひ…両津ちゃんもっと前にでてらっちゃい
おまえらもっと前にいけよ………

スタート
おりゃあああっ！

でりゃあ
おれに集中しやがって

やられてたまるか！
おっと

だめですよ先輩！主役にたちむかってはちゃんときられなくっちゃ！
うぬっ

おとなしくきられろっ!
ヒュッ
ビッ
ちょっとまった!

殺陣師としてひとことあるここは役人がにげたほうがリアルでは…
だめですきられてくださいっ!

ええい!往生ぎわの悪いやつだっどりゃあ
パーン
いてっ

死んだかっこいつ!まだわからん生きかえるといかんからもっときっておこう!
くそ!

いいかげんにしろっ!!
ダッ
だめだめっ

一度きられた人がおきてはいけませんよ じっとねていなけりゃ!
くっく…

今のシーンがヤマ場だから少し時間を多くとっててってい的にやろう!
ちょっと今のところ文句があるぞ!

殺陣師としてならさっききいたぞ
ちがう！今度は警察官としての意見！

役人といえば今の警官でしょその警官をバタバタきってしまっていいのですか？まるで役たたずということをみせているようなものでしょう！
う…うむ！

主人公とはいえ国定 忠治はヤクザですよ
悪人が勝って警察が負けるそのように世間からみられたら ますます不信をいだかれてしまいますぞ
たかがしばいじゃないか！

たかがとはなんですかっこれは大きな社会問題ですぞ！
まあ先輩！

じゃあどうすればいいんです？
もちろんわしが忠治を逮捕する
そんなバカな！

逮捕されたらこの物語はおわっちゃうじゃないか！
しかたありません警察社会全体の信用がかかっているんですからね

いくらなんでも…それじゃあこの台本を少しかえてですね……
あのふたりの意見きいてたら国定 忠治が別の話になってしまうぞ………

亀有公会堂
第九回
ボランティア活動
時代劇
「国定忠治」
協力　公園前派出所

ライト
もう少し
下に
むけて！
このへんに
草を
もう少し
もってきて…
はい
いいですか
最初の場面で
いきなりセリフが
はいりますからね

ちぇっ
本当にとしより
ばかりだ
若い娘は
ひとりも
いやしねえ
はい
10秒前

先輩！
早く
もどって！
グイ
いたっ
たた！

忠治
御用だっ
うむ
こっぱ
役人めっ
ぐわっ

ぐわっ
ああ
はい
おつかれ
さま！

なんだ！
もう
これっきり
か!?
はい
これだけです
あとは
おわるまで
漫画でも
よんでまって
いてください

よし
それなら
もう一度
きられて
くる！
あっ！
ダ

御用
だーっ
あっ
あいつ また
でて
きやがった

めんどうだ！
早目に殺して
しまった
ほうが
いい！
ドドド
ぐわっ
なんの
これしき
すぐに
殺されて
たまるか！

すごい
迫力だ
ねえ…
ばあさん
まったく
ねえ……

死ねっ
死ねっ
くたばれ
なんのっ
まだ
まだっ！
ほんの
かすり
キズだ！

とどめの一発！
ガッ
ぎゃん
赤城の山もこよいかぎりっかわいい子分の…
ちくしょう本気でやりやがったな！
主役がかならず勝つとはかぎらねえぞっ！
ぐわっ
パカッ
ザッ
国定忠治がきられたべ？
どうなんだこりゃあ
ザワ
ザワ
まったくもう先輩ときたら！
このへんで幕をしめたほうがいいんじゃないのか？
かくして正義はかならず勝つものよ！
今月今夜のこの月をオレの涙でくもらせてやる！
これしきでまいる忠治じゃない！
このヘボ役者め！
グイッ

★週刊少年ジャンプ1978年14号

カッパの両さんの巻
警視庁
祭

どうした…寺井の番だ早くやらんか?
それじゃあはい!
パチ

わはははおろかものめ!いただきだっ!
パチ

はい飛車とりね
ちょっとまったまった!
パチン

うーむこいつあよわったぞああして…こうして…

さっきのなしにしようなもう一度アンコールでこういく
いいよ気のすむようにやってくれ……

庁
はい王手角とりだからね!
パチ

それじゃ角をこちらににがす!
パチ

おいおい
いいのかい?
王をとっちまう
よ!
へへへ
とれる
ものなら
とってみろ…

それじゃ
詰めだ!
王将を
もらうよ
あれ…!?
グイ
どう
した?

なんだ…
このコマは
くっついてる
ぞ!
わしの
番だな
ハイ
王手!
グググ…
チ

ひどい
将棋盤に
はりつけて
ある!
わはは
勝ちだ
勝ち!

いやあ
じつに白熱した
いい勝負
だったなあ…
ちぇっ
いつも
最後は
これだ!

それにしても
暑いなあ
まったく
もう…
キーン

まだ
午前中と
いうのに
30度も
あるよ

30度だって…じょうだんじゃないよまったく!

ちょっと裏で水あびてくらあ!
えっ

まったく暑い時にゃ水あびが一番だ!
ジャー
うひーひやっこいひやっこい

先輩そこでなにやってるんです……?

水あびだおそいぞ中川!なにしてたんだ!

きのう先輩からもらった福引券ねさっき引いてきたんですよそしたらみごと大当たり
ほらプールと水中メガネなど一式!

ほうプールかそりゃあいいさっそく使おう
それじゃ空気を……

ばか！
こっちでやるんだよ
ここで！
えっ
派出所の中で!?

ここのが広くていいじゃないか！
おい
寺井！
ホース
もってこい

ふくらますのがまた楽しみだよ……
プ

プーーッ

ぷあっ
しんどい
!!

あとはおまえにまかすふくらましてくれ
えっ!?

先輩のあとだからジステンパーにかかるかもなあ……
ねえ
アルコールある？
アルコール
…？

きさま！
人を
バイキン
みたいに
いいやがって
このっ
よけいな
ことせずに
早くしろ！
ぷう

ほら
もっと早く
だらしないっ
ひと息で
やれ！
人間ポンプ
といっしょに
しないで
ください！

ほう
なかなか
大きいじゃ
ないか！
1等賞
ですからね
かなりいい
やつですよ
ザザザ

どうだ
いっしょに
およがん
か？
いや
ぼくは
いいです

なにか
用ですか？
みなさん…？
ペッタン
ペッタン
ペッタン
ぬっ
モリ
モリ
むむっ
クイ
ぬおおおーっ
ゴロン
きゃあ
ゴロン
ゴロン
うわっ
準備運動はちゃんとせんとね！
わっはっははは
それでは進水式といくか…
ペタ
ペタ

まず……
両津巡査長の
華麗なる
とびこみから
披露する！

パッ

すごい
速さ！
マッハ100
ミグ・25
顔まけ！
ザザザザ

ドン

くっ
おしい
なーっ
あと
10キロは
かるく
およげた
のに！
バシャ

わははは
気分最高
だな！
寺井
ビールを
もってこい
ビール
バチャ
バチャ

中川
おまえも
はいれよ！
なっ…
いえ
仕事中
ですから
パシャ

こいつ！
気どり
やがって
あっ！
グイ
バシャ

わははは
はいった
はいった！
ひどい
なあ〜〜〜
もう！

水も
したたる
いい男だぞ
中川！
わかり
ましたよ
やけだ！
バシャ

こうなると
全員
みちづれの
ほうが…
ドキ
ニッ

ちょっと
ぼく
パトロール
にいって
くるね!
まあ
まあ
グイ

やはり
みんな
仲よく
しないとな
中川!?
そう
ですね
先輩

さあ
いくぞ
いち
にーの
グラ
グラ

さん!

どうだ
涼しくて
気持ち
いいだろ
あの…
免許証の
ことで…

なに?
きみも
およぎたい
!?
ポン
い…いえ
今月は
かきかえ
なので…
よーし
中川
もう一度
いこう
はい
はい
あの
……

いち にーのっ
ブーン
今月 誕生日 なもので…
どの ように して…… その……
バシャ

それ！特別サービスだっ!!
ジャワワワ
こんな所 部長に みられたら 殺されるな！
犬 おまえも いっしょに はいるか
!?
キャン キャン

そら つめたい つめたい
あの ぼく… これで…
バッ
そうか… また こいよな！
はは あ…

そうだ みんなで もぐりっこ大会を やろう!!
えっ どうやって やるんですか……?
パチャ
パチャ
だれが一番長くもぐっていられるかだ…まけた者は氷あずきをみんなにおごるんだ
いいですね!
2チームにわけよう わしと…中川ね
そっちは寺井と犬!

なんかすごーくハンデがあるみたい
こっちはビューティーペアで そっちはダーティーペアでいいじゃないか
はい それじゃ先輩と寺井さんからいきます
よーい始め!
ザバ

スー…

コチョ
コチョ

うぷっ

ぷあっ
5秒！先輩の勝ち！
バシャ

ずるいくすぐったぞ！
事実ですか？
オーノーワタシシリマセーンネ

まずはビューティーペア一本！
勝利！
きたないなあ～

はい今度は犬と先輩！
チカ

はい始め！
バシャ
バシャ

ガリ

ぶわっ
いててっ
3秒！
犬の
勝ち！
バッ

その犬
手を
かんだぞ
事実
ですか
？
ちがうと
申して
ます
ワン

今度は
ダーティー
ペア一本
きた
ねえぞ

いよいよ
決勝戦を
おこない
ます！
中川
相手は
てごわい
ぞ！

よーい
始め！
ザバ

1分経過!
まだまだ……
2分経過!
くるしいもうだめだ!
ばかもの氷あずきがかかってるんだぞ!
3分経過…
犬に負けて人間のメンツをつぶす気か?こらえろ!

6分……
わはは勝った!

そんなにムリせんでよかったのにい、い、りちぎな男だ!
自分でやらせといてこれだからな

む?どうした中川!?
もういいんだぞ!

ほら 中川 えんりょせんで たべろ! おまえが かせいだんだ ぞ!
たべる気 しませんよ もう少しで 死んでました よ!!

ん!?

どうした ガキども ん!?

ぼくたちの 学校 今日 プールの予定 だったのに 工事してて ダメになった んだ……
だから そこで およがせて くれないかな
ねえ いいでしょ お巡り さん!

お巡りさん 高倉 健に そっくり!
まあ いいだろ はいれ
ワーッ

みろ だいぶ にぎやかに なった
やはり このプールは 子どもが あうね!
ワン
キャ キャ
キャ キャ
キャ
バシャ
バシャ

両さんも やさしい所 あるじゃ ないか……
ん… なにしてんの…?
ガキが八人 だからひとり 30円として えーと… 8かける…
やはり… やさしく なんか ない……

おい おまえたち 明日も およぎに くるか?
うん くる くる

よし じゃあ 回数券を つくって やるからな
すぐ 商売に するんだな
キャ キャッ

ほら！
これ
おまえたちに
やるぞ！
え！
なんです
これ？

公務員特別割引
招待券だ
それもってくりゃ
安くしてやる
ぞ！
ひ
ひどい
ぼくの
プール
なのに…

はい！
それじゃ
一時でて
体操しましょう
ネ！

じゃあ
おじさんの
やるとおり
まねを
して！

はい
いっちに
さんしっ！
いっちに
さんしっ
ずいぶん
マメだなあ
両さんも…
本格的に
始める
ようですね

はい
じゃあ
ゆっくり
足から
はいって…
ワー

お巡り
さん！
ぼくらも
いれて！
あっ
ハイ
ハイ！

おさないで
あんたは
小さいから
15円ね!
チャリン
あんたは
30円ね
次は…
チャリン
わしは
いくら
だ……

じ〜〜〜〜っ
あんた…
顔みしり
だから
50円に
まけとくよ
ネッ……
小学生相手に
なかなか
繁盛しとる
ようだな?
え?
経営者…
い…
いやあ
ボチボチ
ですよ…

そこで
気のすむまで
およいでいろ
夏休みを
やるから
9月末まで
そこにいて
いいぞ!
サメに
気をつけろよ!!
ぶ 部長!
9月までいたら
ふやけちゃい
ますよ!
あの島は
カラフトじゃ
ないですか!?
たすけてーっ
両津用

★週刊少年ジャンプ1977年36号

変身カウンタックの巻

両さん
1周おくれてるよ!
なんの
今度
並んだら
必殺技を
みせてくれる!

ヴォオオオ

すごい
3台とも
せってるぞ
ふふ
みてい
ろよ…

カチ

ピピ

うわーっ
わっ
!!

わははは
自爆装置をつけた
キャロル360デラックスだ! おそれいったか!?

ひどい
爆発に
まきこまれて
バラバラだ
手段を
えらばん
からな
やつは…

第2部はヒルマンミンクスだこれを手にいれるのは苦労した!
いろんなものをもってるなあいつ…

今度は両津の車に近づくのはやめよう…
そのほうがよさそうですね

はい!位置についてヨーイ

スタート!
ヴオオオオ

よしいけ!
カーブでいっきにいけっ!
ヴオオオオ
ビイイイ

なんです?車の中にはいってる白い棒?
あれは自爆装置だ………
ビイイイ

紙火薬がなくなってな工事用のマイトを一本つんでいるんだよははは

む…？どうしたみんな？

じょうだんだよ！じょうだん そんなことするはずないだろ
あやしいもんだぞ

きみたちはジョークも通じんのか じつにカタイ連中だな
両津はどこまでがじょうだんでどこまでが本気だかわからんからな……

わははは両津の車2周おくれだぞ！
くそドカーンと思いきっていけ！

うわっ！パトカーだっ!!
このやろう！おう着しやがってノックぐらいしやがれ！

このパトカーがボロなんだみてくれこのありさまだ!!
ひでぇもんだなあ！
署のパトカーみんな古くて1台だけのこっていたこの2号車もついにポンコツだ
そういえばこんな車もう生産してないんじゃないのか
車両の予算上のほうで使いこんでるんじゃないのか!?
とにかく外へだしましょうよ

秋の交通安全
よーし
オーライ
オーライ
そのまま
ブルルル…
しかし
どうしようかな
暴走族の
取りしまりに
いく途中だった
のだが！
あれじゃ
もう使い
ものに
ならないよ
中川の
この車を
パトカーに
したら
どうだ？
え？
これを…
このさい
動く車なら
なんでもいい
これでも
充分だ
カウン
タックの
パトカー
を!?
こまってる
時は
お互いさまだ
協力しろ！

できあがったぞ! これが1号車ね
みっともなくてもう国道は走れないよ
警視庁
ご用
1号車
そしてこの犬が2号車だいいだろ?
警視庁
もう少しセンスよくしてくれればいいのに…
さあいざ出発だ!
クン
バオオオーーッ

ははは
みんな
みとるぞ
そりゃ
そうです
よ!

あっ

交通事故
ですよ!
キッ
ちぇっ

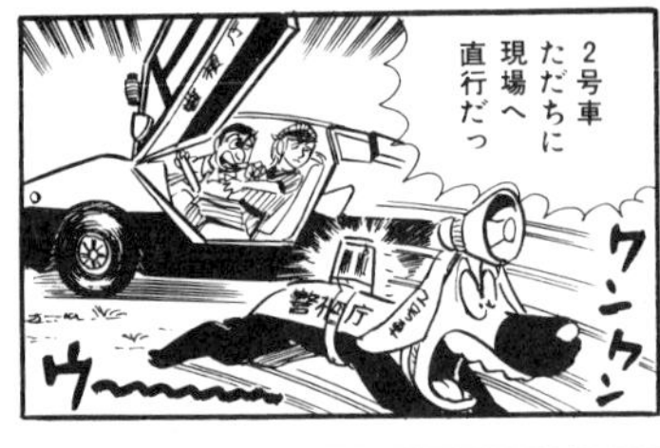
2号車
ただちに
現場へ
直行だっ
ウ〜〜

おや…?
ここはたしか
東和一丁目の
工場だな…
そう
ですか?

すると
中綾瀬署の
管轄だな
われわれは
関係ないぞ
ほら!
本当だ
足立区に
なるのか?
管轄地区
昭和52年度

いやあ残念だったなあおまえ!
もう20メートル手前で事故をおこせばわれわれの管轄だったのにな……
本官は仕事にはキチッとしている男でな!
きめられたことはちゃんと守らんといかんのだわかるきみ?
え?なんだって笑うとなお痛いだと
そうかかわいそうにな ここは人通りが少なくて発見されにくいしな
元気づけに落語をきかせてやろう
おい クマさんやとなりの空地にカキネが…
先輩時間がない!
それじゃおまえしっかりな!
あまり車の下じきになってると体に毒だぞ!
不純喫茶
ポエム
堀内商店
しかし気のどくなやつだなさぞ重いだろうに…
しかし管轄がちがうからね……

このあたりですね暴走族があつまるって…
ゴタゴタした車がいっぱいあつまっているな
ん!? なんだ
どけポリ公
じゃまだ! じゃまだ!

くそ! なめやがって!!
ようしこらしめてやるぞ!

ひゃっほーっ
ぜんぜんききめなしだ!

なま
ぬるいんだよ
ぶつけて
やれ!
あっ
ガッ
カーン
ドカーン
ドドーン
ガッ
ははは
だいぶ川に
落ちたぞ!
いいの
かなあ…
車が
いっぱいで
とめる所が
ないですね
かまわん
2 3台
どいて
もらって
とめろ!
ガシャ

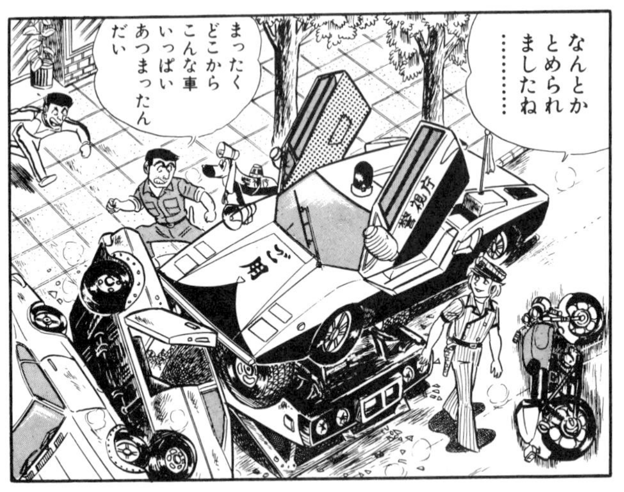
なんとかとめられましたね…………
まったくどこからこんな車いっぱいあつまったんだい
警視庁

ポリ公めおれたちのグループにうらみでもあるのか!?
ここは駐車禁止だぞ!

自分の車のりまわしてわるいのか!自由だろ!
ほかの車がめいわくしてんだよ!音もうるせえの!

だいたい18くらいで車のりまわすなんてなまいきなんだよどうせ親のすねかじりのくせに……
あっおれの車を!
ガツ
ポロッ

特製の10万円もするレーシングジャケットが……
それがどうした

明日
全員で
派出所を
おそって
やるからな!
ほう
おもし
ろい!

いつでも
相手になって
やろうじゃんか!
ガーン
あっ

これまた
ドイツ製の
高価な
リヤスポイラー
を………
いちいち
大声を
たてや
がって

こ これは
フランス製の
ひとつ数万もする
貴重かつ高価
なライト……
そのつど
説明して
くれる
のか?

これも
きっと
高いの
かな…?
あっ
ガーン

こ これこそ
ロータス社製の
20万もする
特製ステア
リング……
これも
高そうだ
なあ…
これも…
バリ
ガシャ
ベリ

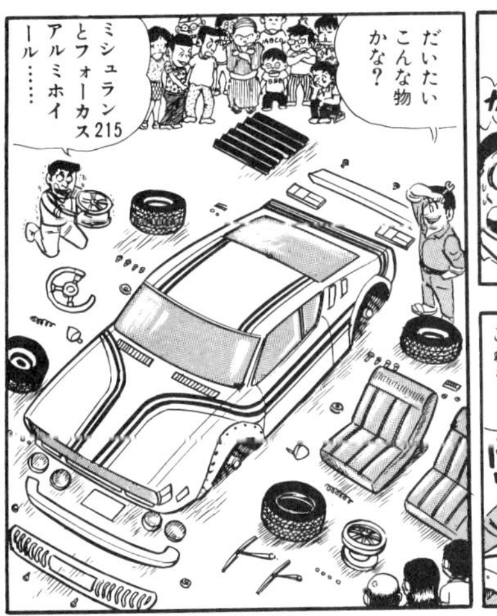
だいたい
こんな物
かな?
ミシュラン215
とフォーカス
アルミホイ
ール……

さあ
次は
どの車を
………

なんだ！
交通課の
パトカーが
もやされて
いるぞ！

むっ

暴走族の
取りしまりを
していたら
いきなり
おそわれて
…！
なん
だと!?

あそこに
いる
あいつだ
ドヤ
ドヤ

よくも
仲間の車を
ポンコツに
してくれた
な！
きさまら
だって
パトカーを
もやしやがっ
たくせに！

かまわ
ねえ！
やっちまえ
!!

いててててっ!
お!2号車か
ガッ
うわあ
ふん!口ほどにもない連中だ!
警

もうそのへんでいいだろうもどってこい
2号車
視庁

2号車
いい
はたらき
だったぞ
ウ〜〜

みて
くださいよ
これ!

しかし
またハデに
やられた
もんだな
連中は
むれになると
メチャクチャな
行動を
しますからね

やつら
移動
しはじめた
ぞ……
ゴオオオオ
ブウウウウウ

あっ
あぶない
!!

きゃあ!
キキーッ

だいじょうぶかい あんた!? ケガは?
い いえ…
わあああぁ
ちくしょう なんてやつらだ!
先輩 もうゆるせないやっつけましょう!
ダッ
よし おえ!
ブルルル
いやあ おひさしぶり!
交通課の冬本か!?
ブルルルル

なんだ
そのクレーン
車は!?
暴走族を
やっつけにね!
ここらは
われわれの
管轄でして…

よし!
それじゃ
全員で
暴走族
退治だ

バオオオオオオ

ブルルル
最高
だぜ!
ははは
NGK
LAMBORGHINI

ガキ
ん!?
LAMBOR

な…
なに!?
ルート
246
グイ…

ポイッ

がははは
どうだ
みたか!
全員
皇居のお堀へ
たたきこんでやる
覚悟しやがれ!

両津先輩
次は右の
フェアレディー
Zを!
よーし
まかせて
おけ!

えらい物を
もちだし
やがったな
グイー
にげたほうが
よさそう
だぜ……
みんな
にげろ!
ちるんだ!
うわっ
ズギューン!!

一台
たりとも
にがさん
からな！
ビィイイイン
くそ
さっきの
カウン
タックか！

やろうども
こうなりゃ
体当たりだ
！
ガオオオオ

うるさい
やつらだ！
ガリッ

めんどう
くせえ！
まとめて
たたき
こんでやるっ

ガーン
ガン

今の
スイング
よかったな
ははは

今度は
掛布選手
顔まけの
バッティング
ガーン
と！
グ

★週刊少年ジャンプ1977年40号

ボーナスさん
こんにちは…の巻

警視庁葛飾警察所
堀内さん
おめでたでーす。
(おくさんが)

総務部
会計課

交通課小野田さん！
はい
い いよいよつ…次だ！

えーと次は……
警ら第一係両津さん!!

はいっ

山奥にいるわけじゃないんだから大声ださなくてもいいよとりにきなさい！
はっ両津巡査長とりにいくであります！

カカ

ビタ

がははは つい つまずいちまって…
な なにしろ半年ぶりなもんで！

ピタ
はい！半年間ご苦労さま

じ〜〜〜ん

あっ両津さん………
ま まだくれるのでありますか！

ハンコだよ
わすれ物！
ポン
それでは
総務のみなさま
よいお年を！
バダッ

まだ
一か月も
あるのに
なーにあの人
去年も
ボーナス
もらう時
同じ所で
ころんだ
わよ！
両津
おそいから
先いっち
まおうぜ
中川
もう少し
まって
みましょ
う……

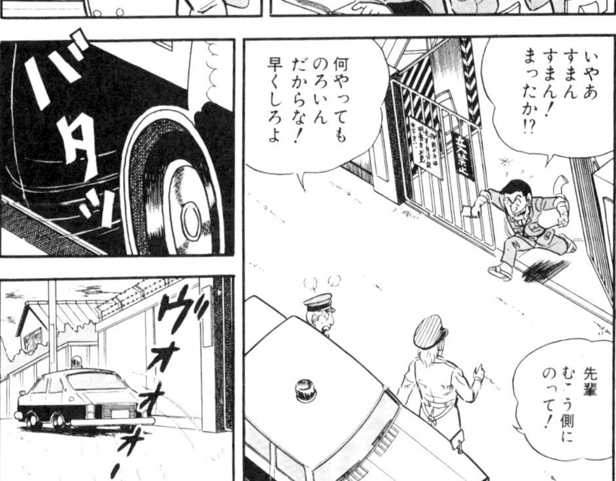
いやあ
すまん！
まったか!?
何やっても
のろいんだからな！
早くしろよ
バタッ
先輩
むこう側に
のって！
ヴォオオォ！

ひい ふう みい よう いつ……む
いじきたないな あとでかぞえりゃいいじゃないか!
うるせえなあ
わしはこれをもらうためのみ半年間がんばってきたんだからな!

どうせバクチや酒代のつけでほとんどなくなるんだろう
そらあまあ半分くらいは……!

ほっとけ! まだ オレのもんだ!!
本当のことじゃないか!

おい運転中だぞ!
もう頭にきた!
ガッ

うおりゃあーっ
グイッ

でぇい!
ビューッ
うわっ

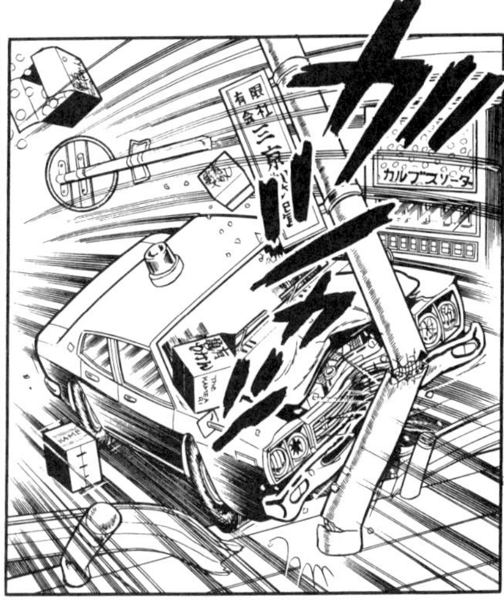

ばかもの しっかり 運転しろ!!
あんな状態で 運転できま すかっ!?

せっかくの ボーナス日だから みんなでのみに いこうとしてるのに 両津がいると いつもこのざま だ…!

ガヤ
ガヤ

おい おめえら みせ物じゃ ねえんだ からなっ
けえるん だよ この

ブオオオーッ

まったく両津と心中じゃ死んでも死にきれないよ

てやんでえ こっちこそ ねがいさげだ!
なんだ やる気か!

ふたりとも いいかげんにしてください

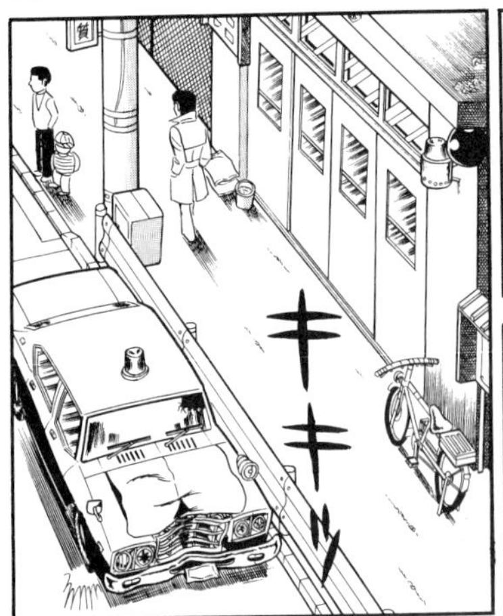
キキーッ

おまえたち ちゃんと もらってきたか?
はい バッチリと!
火の用心

もうじき
交代が
くるから
そうしたら
みんなで
のみに
いこうな
早く
いきたい
ですね
!!

ほう………
両津にも
いちおう
ボーナスが
でたのか?
ドドドドドドド
あたり
まえじゃ
ないす
か!

後生大事に
ちゃーんと
胸ポケット
に!

ポケッ…
ト……
に…
ん★

ガァーーン

ボーナス
がっ
ない!!
えっ!?

ズボンの
ポケットじゃ
ないのか?
ちがう
たしかに
ここへ…

車の中に
おとしたのかも
しれない
ちょっと
みてきます

両津
今のは
真にせまった
ジョークだな
ない！ ない！
ない！ ない！
ないない！
どうやら
本気
らしいよ
ガーン
車の中にも
ありません
よ！
ボ…
ボーナス
が……
パアに
……
なった…
ヨロ
ヨロ

先輩
おちついて
思いだして
ください
署からは
ちゃんと
もらってき
たんでしょ
車で
かぞえて
る所を
みたぞ！
すると
ここにくる
間といえば
………
あれだ
ぶつかった
時に
なくなっ
たんだ

現場にいって
さがして
きます！
早く！
とられたら
大変だっ
まあ 両津
気を大きくもて
今年は
でなかったと
思えば……
人事だと
思って！
じょうだん
じゃない！

指おりかぞえてこの日のためにはたらいてきたんですからねっ
わ…わかったよ…

両津も気のどくだみんなでカンパしてやろう
そ そうですね………
これも同僚のためだ…

両津みんなのカンパだとっておけ
ガーン

くく……仲間のあたたかい心ざし…
こんな時身にしみる…くくく…

それじゃえんりょなく…

300円でたすけたつもりですか?
両津金額の問題じゃないぞ!誠意をうけとらんといかんぞ!

300円あればラーメン一人前たべ放題だしな
コーヒーものめる!
セブンスターが2こ買えるしね……

バカにしやがってこんな金いるか!

先輩!
おっあったか
!?

現場はもちろん車で通った道もすべてさがしましたどこにもみあたりませんでした……
もうだれかにひろわれてしまったのじゃないか!?

いちおう遺失物届をだしておけみつかるかもしれんぞ…
現金じゃまずムリでしょうね

万が一って事があるだろ万が一!
そうですね気休めのために…

どうしたんですのん気に新聞なんかみて…?
ばか!アルバイトさがしてんだよ!
だれかとどけにくるかも……
現金がでてくるほど世の中甘くはない!

せめて借金くらいはかえさんと正月がむかえられん！もち買う金もない…
おまえの生活そんなにひっ迫してるのか…？

先輩ここの新聞配達はどうです
朝おきられんしな夕方は寒いし雨はいやだし…雪はつらいし神経つかうし！

ビルのガードマンなんか金がいいぞ
新宿じゃ遠いなあ交通費もでないし朝おきられんし夜は寒いし…

ぜいたくなんだよ！どんな所ならいいんだ！
そうだな車でむかえにきて 3時にお茶とケーキがでて仕事が楽で時給五千円くらいで……

そんな所あるはずないだろう！
だからそこを必死でさがしてるんだよ！
持出禁止

トラック運転助手募集中……ここは男ばかりじゃないか！やめたっと…
必死なわりにはよりごのみがはげしいな…

あの〜〜〜お金をひろったんですけど………
ほほんとうかっ!?
ガタッ

よかったなあ両津!
やはり人間を信じるものですよ!

まあ奥へどうぞ外は寒かったでしょうさあ!
ここれはどうも…

……でいったいどこにおちていたんです?
へい公園の裏のほうに………

公園の裏だって……?
おそらく風でとばされたのでしょうありうる事です!

今どきボーナスをひろってとどけるなんてじつに正直な方ね
ボーナス?そんな物じゃなかんべ…

え!? わしのボーナスひろったんじゃないのか!?
たしかに金をひろったといったじゃないか

100円札をひろったんで……
めずらしいものでぜひ交番にと……

わすは
町一番の
正直者と
よくいわれ
ますだ…
正直者の
花太郎さん
なんてね…

それは
どーも
ごくろう
さんですね
グイ
あら
…!?

わ〜〜〜ざ
わ〜〜〜ざ
こんな時に
100円札を
とどけて
もらって
ありがとう
ござん
したね〜〜〜
いえ…
べつに…

まあ まあ
そのへんで
おだやかに
………
あんた
もう
帰って
いいよ

ちくしょう
あのオヤジめ
気を
もたせ
やがって!!
なまじ
みつかり
かけたから
よけい
まずく
なった…
ガシャーン

ちくしょう
ちくしょう
ちくしょう
ガァァッ
ガシャ
先輩!
とめるな
中川!

半年間まったボーナスがなくなったんだ…あいつの気持ちもよくわかる…気のすむまでやらせてやれ
おれなら一か月はあばれるかもしれん……

はぁ
はぁ

おわったようですね………
…………

ふ…
ふははは

ふはははがはははは は!
…………

しょせん紙きれだっ!!
ただの紙っぺらにすぎん!

人間なんてあわれな生き物よ！
あんな紙っぺらに目の色をかえて生活する!!

犬をみろ！自由に生きているじゃないかっ！
ひたすら紙きれのためはたらくきみたちは犬以下だ！
完全にひらきなおってる…
ああはずかしいおれはなんて事をしたんだ…
たかが紙きれの事でこんなにとり乱して…
これは人間の姿じゃない

本来の人間の姿とは…
野をはしり山をとび歌をうたい…自由に生きてこそ人間とよべるんだ
おれはあぶなく紙にあやつられるおどり娘人形になってしまう所だった……
あわれなきみたちよ今からでもおそくはない……

ねがわくば神にそむいた罪を　今からくいあらためん事を祈るのです!信じる者はすくわれます
あっボーナスを!
わしの大切な金をどうする気だ!?
シャラップ!!
まったくいじきたないお金だと思うからいけないのです
じゃあなんだというんだ!
たとえば聖徳太子ご結婚一千回記念大型切手と思うとか…
多色グラビア印刷日本銀行大ホールHB79865S席コンサート入場券と思うとか……
日本銀行券
壱万円
日本銀行
HB79865S
10000

心の中でそうくり返してみると……ねほら……みかたがちがってくるでしょう…
やはり金にしかみえんがな…
あっわしらの金を!
ガバ

それが
いかんの
ですよ!
これは
金でない
切手です
切手!
グイ
うっ…

両津
一万円
おちたぞ………
な
なに!?
どこ
どこ?
一万円!

あっ いや
もとい!
き
切手を
おとした
んだ……
はははは

いい
かげんに
しろっ
!!

ねえ みんな
かわいそうだと
思って本官にも
少しずつ
わけてよ!
うるさい
おまえなど
もう同情の
余地なし!!

ちぇっ
はく情な
男たちだ
ん☆

あった!!
ボーナスがあった!!
えっ!?
へそくり用にポケットを二重にしておいたのわすれてた
このドジがっ!!
まったく両さんは人さわがせだな!
これでほっとしましたね!
部長!早くのみにいきましょう!
こいつ!金がでたとたんに元気になりやがって!
今夜はボーナスがなかったつもりで全部両津がおごるらしい
じょじょうだんでしょ
みんなでいくのもひさしぶりですねェ
そういやそうだな

こちら葛飾区亀有公園前派出所㉕(完)

★週刊少年ジャンプ1977年52号

解説エッセイ「秋本さんは、笑いのアーサー・C・クラーク！」

小山薫堂（放送作家）

僕は昔から本を読まない子供だったんです。読書感想文はあとがきを見て、それで中身を察知して書くタイプ（笑）。それが小学校の2年か3年くらいだったと思うんですが、祖母が「このままではいけない」って。それで「字を読むんなら、漫画でもいいから買ってあげる」と言われて、『ジャンプ』などを買ってもらえるようになったんです。

秋本さん、当時は山止さんっておっしゃいましたけど、タクシードライバーの話の『交通安全'76』で相手を追いかけて川に落ちるシーン。「どこかにぶつけてでも　とまってくれ」「へい　合点」と、なぜか川に落ちてしまうギャグを今でも覚えていて、これを見た時「この人は面白い！」って思ったんです。最初「山上たつひこ」かと思ったら「山止たつひこ」と書いてあるので「アレ？」って（笑）。このペンネームから察するに「一発屋っぽいと思ったら、実は本物だった」というパターン、例えばサザンオールスターズが『勝手にシンドバッド』で出てきた時と同じような印象ですね。ただインパクトは残りますよね。それから『こち亀』を読み始めたんです。親戚が葛飾にも住んでいたし。それ以外にも『ゴルゴ13』や『包丁人味平』等を読んでいました。TV番組『料理の鉄人』の発想は『包丁人味平』がヒントになっていたかもしれません。

それから年をとって、漫画に対して世代のギャップを感じ始めてから『ジャンプ』を買わなくなりましたが、定食屋や床屋に積んであると『こち亀』だけは読む。そこだけ読むと、すごく贅沢な感じがするんですよ。たくさんの号の中から、『こち亀』だけをいいトコどり。ヤクルトを5本まとめて飲んだみたいな喜びを感じさせてくれる(笑)。

実はボクにとって漫画は「逃避」の道具で、トイレにいつも漫画が置いてあって、仕事でつまったらすぐトイレに行くクセがあるんです。「別に俺はサボってるわけじゃない、自然な排泄行為をしたいから行くんだ」って自分自身を言いくるめながら、トイレで漫画を読んで、仕事に戻るって感じ。だからもうクセがついてるから、1日に5回くらいうんこしてる(笑)。そして『こち亀』も、当然何冊かトイレ用があります。今回の文庫は、トイレ用どころか家宝として大切にしますよ。

そんなわけで、笑いの質や作り方っていうものが僕の中に刷り込まれていたんでしょうね。僕は中川の「超金持ちの息子」っていう設定が好きなんです。漫画だと『ピエール・エロダン』（笑）の服を着て、44マグナムとか撃っちゃう。すごいインパクトですよ。漫画を意識してシナリオ書くことはないんですが「中川の設定のようなやつが実際にいたら面白いな」って、そういうタレントを探すことはあるんです。そんなわけで、『こち亀』は細かい所を見るのが楽しいんですよね。はり紙の『ヨツヤサイダー』とか、コマの背景で遊んでいる。だからつねに時代背景が入っていて、それが「男の人が永遠に抱く遊び心」のようにも感じてしまう。サブカルチャーがあり、笑って終わるだけじゃないものが、秋本さんの作品にうまく反映されている。「これ流行ったよなー」なんて。

そして最後の豪快なオチとか、物語よりコマ単位のギャグが記憶に残っている。読んでいると断片的に一枚の絵や写真として、当時の記憶が浮かぶんですよ。俺はこうだったんだって。だから「笑いのアルバム」のように自分の記憶の見出しがある。「バスケット部の帰り道」「試合に負けた時」「シュークリーム食べながら」とか（笑）。百巻以上、すべてが自分の記憶のアルバムになるかと思うと恐ろしいですよ！

両さんって、正月は部長の家に行ったりするんですよね。そして絶対暴れて、なにかが起こるっていう。こういうのはショートストーリーのヒントになりますよね。いい意味での庶民感が失われない。普通、作者の人がバブリーになったら作風が変わったりするけど、秋本さんが描くのは、今でもフェラーリに対して憧れているニオイがする。庶民の憧れがつまってる感じ。当時描いてたフェラーリも、今描いてるフェラーリも同じように思えるんですよ。ほかの漫画だと、昔は憧れだったものが、今は乗りこなした感じのフェラーリに見えることもあるんですが。夢を持ちながらずっと仕事をしてらっしゃるから、そこが鈍らないというか、邪念が入ってこないのかなぁって。

それと、『こち亀』ってTV局が舞台の話がけっこう出てきますよね。僕のTV局のイメージは、たぶん『こち亀』から入ってると思うんです。なんか偉そうなプロデューサーがいて、脇に女性がいて（笑）。僕が最初にTV局へ行ったのは大学生のころなんですが、放送作家のアルバイトだったんです。それが『11PM』という番組だったんですが、最初にショックを受けたのが、ナレーション原稿を書いてる作家さんを見た時です。狭い部屋でビデオを見ながら書いてるんですが、その原稿が『おっと○×ちゃん、おっぱいがボヨーン!!』っていう（笑）。もう、ガクっとしましたね。30半ば過ぎのいい年したオヤジが「おっぱいボヨーン!!」ですよ。やっぱ派手な世界とは言われても、実際はこんなもんなんだなって。その時、本当にこの世界に行ってもいいのだろうかって思いましたよ（笑）。

本当に20年間これだけ時代が変わってるのに、よくこれだけ時代を反映させながら描き続けてますよね。そういう情報をキャッチするのがすごくうまいという。それで、昔のこの漫画に出てくるものが、今、実際に形として出てきたんだなって。大きな比較をすれば、アーサー・C・クラークが『2001年宇宙の旅』を書き、未来の宇宙の形を予言していたかのごとく、秋本さんは1970年代に、現代のことを描いていた。「笑いのアーサー・C・クラーク」ですよね。

やっぱり漫画は映像と違って、ぶっ飛んでいるところが面白い。ただ『こち亀』は漫画としての漫画である物語であり、キャラクター作りで……例えば中川のお父さんが、時間がないといって、ヘリコプターからパラシュートで降り、会社に行く。あとは、両さんが戦闘機に乗ってどこかに行くとか。あれは漫画ならではの世界観の広がりで、映像にしづらい。漫画らしさが必要。そして、その神髄が『こち亀』にある。レスリー・ニールセンの『裸の銃を持つ男』はこれをベースにしてるんじゃないかっていうぐらい、ハリウッドの笑いに近いハチャメチャさがありますよね。「止まれー」って言って銃を撃ったら、違うものに当たって町中が大変なことになるっていう（笑）。

これを映画化するんだったら、一流のハリウッドの特撮を使い、レスリー・ニールセンが両さん役をやる（笑）。日本版を作っちゃいけない。きっと日本の映画のレベルにはおさまりきらない。『こち亀』をハリウッドの監督に見せ、映画化してもらったらすごく楽しそうな気はしますよね。ただ、いいところでもある日本の情緒みたいなのは、入ってこないかもしれないけど。

僕が影響を受けているだけなのかもしれないんですが、1度、秋本先生と趣味談義をやってみたいですね。そしてなにか描くんでしたら、ネタを提供します！ 両さんがTV局に行ってハチャメチャなことをやるんだったら、いいかなと。そういうことがあればいつでも、両さんをTV業界にご案内しますよ!!

（このエッセイは、小山薫堂さんへのインタビューをもとに書きおこしたものです）

掲載作品は集英社より刊行されたジャンプ・コミックス『こちら葛飾区亀有公園前派出所』第5巻（1978年5月）第6巻（同9月）第7巻（1979年2月）第8巻（同6月）の中から、著者自らが精選して収録したものです。

集英社文庫〈コミック版〉既刊リスト

●秋本　治
自選こち亀コレクション
こちら葛飾区亀有公園前派出所〈全26巻〉
こちら葛飾区亀有公園前派出所ミニ〈全4巻〉
こちら葛飾区亀有公園前派出所・大入袋〈全10巻〉
秋本治傑作集〈上・中・下〉
こち亀文庫①～⑰

●浅田弘幸
浅田弘幸作品集1　蓮華
浅田弘幸作品集2　眠兎
BADだねヨシオくん！①②

●麻宮騎亜
快傑蒸気探偵団〈全8巻〉

●浅美裕子
WILD HALF〈全10巻〉

●荒木飛呂彦
魔少年ビーティー
バオー来訪者
ジョジョの奇妙な冒険①～㊿
オインゴとボインゴ兄弟大冒険

●作・三条　陸
画・稲田浩司
監修・堀井雄二
ドラゴンクエスト ダイの大冒険〈全22巻〉

●今泉伸二
空のキャンバス〈全5巻〉

●うすた京介
武士沢レシーブ

●梅澤春人
BØY〈全20巻〉

●江川達也
まじかる☆タルるートくん〈全14巻〉

●えんどコイチ
死神くん〈全8巻〉
ついでにとんちんかん〈全6巻〉

●作・真倉　翔
画・岡野　剛
地獄先生ぬ～べ～〈全20巻〉

●荻野　真
孔雀王〈全11巻〉
孔雀王－退魔聖伝－〈全7巻〉
夜叉鴉〈全6巻〉

●奥　浩哉
変〈全9巻〉

●作・写楽麿
画・小畑　健
人形草紙あやつり左近〈全3巻〉

●作・城アラキ
画・甲斐谷忍
監修・堀　賢一
ソムリエ〈全6巻〉

●かずはじめ
MIND ASSASSIN〈全3巻〉
明稜帝梧桐勢十郎〈全6巻〉
かずはじめ作品集1　遊天使
かずはじめ作品集2　Juto
かずはじめ作品集3　0-Game

●桂　正和
ウイングマン〈全7巻〉
超機動員ヴァンダー
プレゼント・フロムLEMON
電影少女〈全9巻〉

●作・鏡　丈二
画・金井たつお
ホールインワン〈全8巻〉

●ガモウひろし
とっても！ラッキーマン〈全8巻〉

●きたがわ翔
19〈NINETEEN〉〈全7巻〉
ホットマン〈全10巻〉

●桐山光侍
B.B.フィッシュ〈全9巻〉
NINKU－忍空－〈全6巻〉

●車田正美
風魔の小次郎〈全6巻〉
男坂〈上・下〉
聖闘士星矢〈全15巻〉
雷鳴のZAJI

●作・寺島　優
画・小谷憲一
あかね色の風

●許斐　剛
テニスボーイ〈全9巻〉
COOL〈全2巻〉

●佐藤　正
燃える！お兄さん〈全12巻〉

●柴田亜美
自由人HERO〈全8巻〉

●作・城アラキ
画・志水三喜郎
監修・堀　賢一
新ソムリエ 瞬のワイン〈全6巻〉

●新沢基栄
3年奇面組〈全4巻〉
ハイスクール！奇面組〈全13巻〉

●鈴木　央
ライジングインパクト〈全10巻〉

●高橋和希
遊☆戯☆王〈全22巻〉

●高橋陽一
キャプテン翼〈全21巻〉
キャプテン翼
－ワールドユース編－〈全12巻〉
キャプテン翼
ROAD TO 2002〈全10巻〉

●高橋よしひろ
エース！〈全6巻〉
銀牙－流れ星 銀－〈全10巻〉
白い戦士ヤマト〈全14巻〉

●武井宏之
仏ゾーン〈全2巻〉

●作・夢枕 獏
画・谷口ジロー
神々の山嶺〈全5巻〉
●ちばあきお
キャプテン〈全15巻〉
プレイボール〈全11巻〉
●作・七三太朗
画・ちばあきお
ふしぎトーボくん〈全4巻〉
●次原隆二
よろしくメカドック〈全7巻〉
●つの丸
みどりのマキバオー〈全10巻〉
●手塚治虫
名作集①ゴッドファーザーの息子
名作集②雨ふり小僧
名作集③百物語
名作集④マンションOBA
名作集⑤はるかなる星
名作集⑥白縫
名作集⑦⑧フライング・ベン〈全2巻〉
名作集⑨⑩ナンバー7〈全2巻〉
名作集⑪新選組
名作集⑫⑬⑭ビッグX〈全3巻〉
名作集⑮⑯アポロの歌〈全2巻〉
名作集⑰グランドール
名作集⑱光線銃ジャック
名作集⑲緑の猫
名作集⑳くろい宇宙線
名作集㉑どついたれ
●冨樫義博
てんで性悪キューピッド〈全2巻〉
●徳弘正也
シェイプアップ乱〈全8巻〉
●鳥山 明
Dr.スランプ〈全9巻〉
鳥山明 満漢全席①②
●作・武論尊
画・原 哲夫
北斗の拳〈全15巻〉
●樋口大輔
ホイッスル!〈全15巻〉
樋口大輔作品集
BREAK FREE＋(プラス)
●作・牛次郎
画・ビッグ錠
包丁人味平〈全12巻〉
●ビッグ錠
一本包丁満太郎セレクション〈全8巻〉
●平松伸二
ブラック・エンジェルズ〈全12巻〉
●作・武論尊
画・平松伸二
ドーベルマン刑事〈全18巻〉
●藤崎 竜
藤崎 竜作品集1
サイコプラス
藤崎 竜作品集2
サクラテツ対話篇
藤崎 竜作品集3
天球儀
●星野之宣
ワークワーク〈全3巻〉
妖女伝説〈全2巻〉
MIDWAY〈歴史編〉〈宇宙編〉
●巻来功士
ゴッドサイダー〈全6巻〉
●まつもと泉
きまぐれオレンジ★ロード〈全10巻〉
せさみ★すとりーと〈全2巻〉
●光原 伸
アウターゾーン〈全10巻〉
●宮下あきら
魁!!男塾〈全20巻〉
激!!極虎一家〈全7巻〉
●村上たかし
ナマケモノが見てた〈全5巻〉
●本宮ひろ志
男一匹ガキ大将〈全7巻〉
硬派銀次郎〈全8巻〉
天地を喰らう〈全4巻〉
俺の空〈全11巻〉
赤龍王〈全5巻〉
さわやか万太郎〈全6巻〉
猛き黄金の国 岩崎弥太郎〈全3巻〉
猛き黄金の国 斎藤道三〈全4巻〉
サラリーマン金太郎〈全20巻〉
夢幻の如く①～⑦
●森下裕美
少年アシベ〈全4巻〉
●作・伊藤智義(①④のみ)
画・森田信吾
栄光なき天才たち〈全4巻〉
●森田まさのり
ろくでなしBLUES〈全25巻〉
ROOKIES〈全14巻〉
●諸星大二郎
暗黒神話
孔子暗黒伝
自選短編集
汝、神になれ鬼になれ
自選短編集 彼方より
妖怪ハンター〈地の巻〉〈天の巻〉〈水の巻〉
●八木教広
エンジェル伝説〈全10巻〉
●矢吹健太朗
BLACK CAT〈全12巻〉
●やまさき拓味
邪馬台幻想記
自選作品集優駿たちの蹄跡〈全4巻〉
●作・大鐘稔彦
画・やまだ哲太
外科医・当麻鉄彦 メスよ輝け!!〈全8巻〉
●弓月 光
ボクの初体験〈全2巻〉
エリート狂走曲〈全4巻〉
ボクの婚約者〈全5巻〉
甘い生活①～⑫
みんなあげちゃう♥〈全13巻〉
●ゆでたまご
キン肉マン〈全18巻〉
闘将!!拉麵男〈全8巻〉
●吉沢やすみ
ど根性ガエル①②
●吉田ひろゆき
Y氏の隣人―傑作100選―〈全8巻〉

コミック文庫HP
http://comic-bunko.shueisha.co.jp/

集英社文庫〈コミック版〉
キャプテン翼
全㉑巻大好評発売中
解説エッセイ①岡野雅行
あとがき㉑高橋陽一
高橋陽一
サッカーの天才児、
大空翼の活躍を描いた
壮快サッカーロマン!!

JASRAC 出9908827-901

集英社文庫（コミック版）

こちら葛飾区亀有公園前派出所 25

1999年 8月16日 第1刷
2009年 7月31日 第2刷

定価はカバーに表示してあります。

著 者 秋 本 治

発行者 太 田 富 雄

発行所 株式会社 集 英 社
東京都千代田区一ツ橋 2－5－10
〒101-8050
03（3230）6251（編集部）
電話 03（3230）6393（販売部）
03（3230）6080（読者係）

印 刷 図書印刷株式会社

ISBN4-08-617125-2 C0179